# 150 recettes VÉGÉTARIENNES

## Sans prétention

Les Éditions
Coup d'œil

Dépôt légal : 3e trimestre 2009
Bibliothèque et Archives nationales du Québec
Bibliothèque nationale du Canada

Graphisme : Marie-Odile Thellen

© Édimag
Cet ouvrage est entre autres basé sur 3 ouvrages
précédemment publiés chez Édimag :
Marina Simoneau. *100 nouvelles recettes végétariennes,
sans prétention*, 2003.
Marie-Blanche Legault. *Les très bonnes soupes
de grand-maman*, 2003.
Nathalie Fradette. *À la soupe !*, 2005.

Imprimé en Chine

ISBN : 978-2-89638-607-9

# Table des matières

# Introduction

La cuisine végétarienne est de plus en plus populaire, notamment à cause des maladies liées à la consommation de gras d'origine animale. Pourtant, plusieurs ont encore des doutes par rapport aux pois chiches, lentilles et autres délices du genre. Quoi de mieux que quelques recettes simples pour les faire changer d'idée ?

Il existe plusieurs types de végétarismes. L'ovo-lacto-végétarisme permet certains produits d'origine animale (le lait, les œufs, le beurre, le miel...) dans l'alimentation, mais il en exclut la viande. Le lacto-végétarisme exclut les viandes et les œufs, tandis que l'ovo-végétarisme exclut les viandes, le lait et ses dérivés. Enfin, le végétalisme est un mode de vie où l'alimentation, totalement végétale, ne contient aucun produit d'origine animale, pas même le miel.

Nous nous attarderons ici à un végétarisme de bon aloi, c'est-à-dire que nous limiterons le plus possible les aliments d'origine animale, mais nous les utiliserons à l'occasion.

## Protéines complètes

La viande contient beaucoup de protéines mais aussi beaucoup de gras. C'est pourquoi les protéines d'origine végétale sont si intéressantes. Vous en trouverez dans les légumineuses (haricots, lentilles, pois chiches...), les graines germées, les céréales (orge, avoine, blé, riz, pâtes...) et les noix.

Par ailleurs, une protéine complète se compose de 23 acides aminés différents. Les protéines végétales contiennent certains de ces acides aminés, mais pas tous ceux qui sont nécessaires pour former une protéine complète. Il faut donc les combiner à d'autres protéines végétales pour obtenir des protéines complètes. Voici quelques combinaisons à retenir pour obtenir des protéines complètes :

- Maïs et haricots
- Pain et beurre d'arachide
- Pâtes et haricots rouges
- Pois cassés et pain
- Pois chiches et couscous
- Riz complet et lentilles
- Riz complet et pois chiches
- Riz et tofu

## Les légumineuses

Les légumineuses peuvent être utilisées sèches ou en conserve. Dans le premier cas, il faut les faire tremper. Dans le second, elles sont prêtes à servir. Tout compte fait, il n'y a pas tellement de différence entre ces deux méthodes. Le conseil que nous vous donnons est le suivant : conservez des légumineuses sèches (elles coûtent moins cher) et quelques boîtes de conserve. Ainsi, vous pourrez faire tremper vos légumineuses si vous prévoyez vous en servir et utiliser des boîtes si vous décidez de votre menu à la dernière minute.

Dans ce livre, les mesures indiquées concernent des légumineuses prêtes à utiliser, sauf avis contraire (les lentilles peuvent souvent être utilisées sèches, car elles mettent peu de temps à s'imbiber d'eau). Habituellement, lorsqu'on fait tremper des légumineuses sèches durant 24 heures, elles prennent plus du double de leur volume. Toutefois, on peut couper ce temps de trempage. Il suffit de laisser tremper les légumineuses une ou deux heures, puis de les faire bouillir dans trois fois leur volume d'eau de 60 à 90 minutes. Le sel ? Ajoutez-en à la mi-cuisson.

# La margarine et l'huile

Plusieurs diraient que le beurre, c'est bien meilleur pour cuisiner. C'est vrai que la saveur du beurre est très agréable, mais il existe maintenant des margarines savoureuses et de bonne qualité. Il n'est pas question ici d'en énumérer les marques ; toutefois, voici les qualités à rechercher lorsqu'on veut consommer une bonne margarine.

- Préférer la margarine molle, moins transformée que la dure.
- Choisir un produit le moins hydrogéné possible.
- Choisir un produit contenant plus de gras polyinsaturés (les gras saturés et trans sont nocifs pour la santé). Cette qualité concerne également l'huile, le produit à la base de la margarine.

Pour ce qui est de l'huile, c'est celle de carthame qui contient le plus d'acides gras polyinsaturés (74,5 g par 100 g d'huile). Quant à l'huile d'olive, plus de 82 % de ses gras sont mono et polyinsaturés, ce qui en fait un excellent produit. En général, les huiles et les corps gras doivent être utilisés avec modération. Et n'oubliez pas que la cuisson leur fait perdre beaucoup de leurs qualités.

# Chapitre I

# Les accompagnements

Nous mangeons encore trop peu de fruits et légumes. Pourtant, la science prouve chaque jour que nous gagnons à consommer au moins cinq portions de fruits et légumes frais (pas des vitamines en capsules!) quotidiennement. Non, ce n'est pas le morceau de laitue iceberg et la tranche de tomate qui accompagnent vos deux œufs bacon qui constituent une portion! Pour augmenter votre consommation de ces merveilleuses denrées de la nature, voici plusieurs succulentes suggestions.

# Carottes au cumin
## Donne 4 portions

### INGRÉDIENTS

1 sac de mini-carottes (ou 3 grosses carottes en bâtonnets)
2 c. à soupe de margarine
1/2 tasse d'eau
1 c. à thé de sucre
1 c. à thé de cumin moulu
Sel et poivre au goût
Persil au goût

### PRÉPARATION

Laver et éplucher les carottes, si nécessaire. Les couper en rondelles ou les laisser telles quelles dans le cas de mini-carottes. Dans un petit chaudron, faire fondre la margarine dans l'eau. Ajouter le sucre et le cumin. Verser les carottes et les faire cuire à feu doux au moins 20 minutes, le temps qu'elles soient cuites au goût. Servir avec un peu de jus de cuisson. Saler, poivrer et ajouter un peu de persil, au goût.

### VARIANTE
Réduire les carottes en purée avec quelques pommes de terre et un peu de margarine. Assaisonner au goût. Disposer la purée en plusieurs petites boules sur une plaque à biscuits. Faire griller trois ou quatre minutes et servir chaud, en accompagnement.

# Champignons sautés
## Donne 4 portions

INGRÉDIENTS

2 c. à soupe d'huile d'olive
1 oignon haché finement
1 carotte, en dés
2 tasses de champignons
blancs tranchés
1 tasse de champignons
portobello, en dés
Sel et poivre au goût
Persil frais ou séché, au goût

PRÉPARATION

Dans une grande poêle, chauffer l'huile et y faire revenir l'oignon. Ajouter les carottes et les champignons. Assaisonner et laisser cuire 15 minutes à feu moyen. Saupoudrer de persil.

# Confit d'oignons au cidre de glace

Donne environ 250 ml (1 tasse)

INGRÉDIENTS

3 c. à soupe d'huile d'olive
4 gros oignons sucrés (rouges ou jaunes), hachés grossièrement
1 c. à thé de cassonade
1 tasse de cidre de glace

PRÉPARATION

Verser l'huile dans une poêle antiadhésive, puis y faire tomber les oignons à feu moyen (pour qu'ils deviennent translucides) en remuant constamment une quinzaine de minutes. Couvrir et laisser cuire 30 minutes. Enlever le couvercle et laisser l'eau s'évaporer. Ajouter la cassonade, mélanger et verser le cidre de glace en brassant pour faire caraméliser les oignons uniformément. Cuire jusqu'à ce que le liquide soit évaporé. Réfrigérer jusqu'à utilisation.

VARIANTE
Le cidre de glace se trouve facilement au Québec, mais on peut utiliser à la place tout autre vin de dessert, à condition qu'il ne coûte pas trop cher ! Éviter donc les "ice wines" et chercher plutôt les vins de vendanges tardives, comme le muscat.

SAVIEZ-VOUS QUE ?
Servir le confit d'oignons, sur des craquelins. Il accompagnera aussi la plupart des volailles.

# Couscous pilaf

Donne 4 portions

## INGRÉDIENTS

2 c. à soupe d'huile d'olive

1 oignon, en dés

1 gousse d'ail émincée

1/2 tasse de champignons blancs hachés

1/2 tasse de petits pois

1/2 poivron rouge, en dés

1 c. à soupe de basilic frais, haché

1 c. à thé d'origan frais, haché

1 c. à thé de poudre de cari

2 c. à soupe de sauce tamari

1 tasse de bouillon de légumes

2/3 tasse de couscous

## PRÉPARATION

Dans un chaudron, chauffer l'huile et y faire dorer l'oignon et l'ail. Ajouter les champignons, les pois et le poivron, puis faire sauter quelques minutes. Saupoudrer de basilic, d'origan et de poudre de cari. Verser la sauce tamari et le bouillon de légumes. Porter à ébullition, ajouter le couscous, couvrir et laisser mijoter 2 minutes avant de retirer du feu. Laisser reposer 5 minutes avant de servir.

# Croustilles épicées
## Donne 4 portions

## INGRÉDIENTS

3 c. à soupe d'huile d'olive

1 c. à thé de paprika

1/2 c. à thé de piment de Cayenne

1/4 c. à thé de piments broyés

1 c. à soupe de thym séché

1 c. à thé d'origan séché

Sel et poivre au goût

4 pommes de terre rouges, en fines lamelles

## PRÉPARATION

Mélanger au fouet l'huile, les épices, les fines herbes, le sel et le poivre. Déposer les lamelles de pomme de terre dans un sac de plastique propre et y verser le mélange d'huile assaisonnée. Fermer le sac. Manipuler les pommes de terre de façon à ce qu'elles s'imprègnent du mélange d'huile et d'épices. Déposer sur une plaque à biscuits et enfourner à 350 °F pendant 25 minutes. Retourner après environ 15 minutes ou lorsqu'un côté des pommes de terre est bien doré. Servir chaud.

### SAVIEZ-VOUS QUE ?
Les amateurs de parmesan saupoudreront avec joie quelques grains de fromage sur les pommes de terre en fin de cuisson.

14

# Échalotes à la grecque
### Donne 4 portions

## INGRÉDIENTS

- 2 c. à soupe d'huile d'olive
- 1/2 lb d'échalotes françaises pelées
- 1 gousse d'ail émincée
- 2 c. à soupe de miel
- 1 c. à soupe de vinaigre de vin rouge
- 2 c. à soupe de vin blanc sec
- 2 c. à thé de pâte de tomates
- 2 branches de céleri, en fines lamelles
- 2 tomates pelées et épépinées, en morceaux
- Sel et poivre au goût
- Feuilles de céleri pour décorer

## PRÉPARATION

Dans un chaudron, chauffer l'huile et y laisser dorer les échalotes et l'ail environ 4 minutes. Ajouter le miel et cuire quelques secondes de façon à laisser les échalotes caraméliser. Ajouter le vinaigre de vin et le vin blanc. Mélanger, ajouter la pâte de tomates, le céleri et les tomates, puis porter à ébullition. Mélanger continuellement pendant 5 minutes. Assaisonner, verser chaud dans des assiettes et servir décoré de feuilles de céleri hachées.

### SAVIEZ-VOUS QUE ?
Un miel biologique de qualité constitue un aliment de choix dans un régime équilibré, car il remplace à merveille le sucre raffiné. Retenir toutefois que les enfants de moins de deux ans ne devraient pas en consommer, leur petit estomac n'étant pas encore bien équipé pour le digérer.

# Échalotes confites
### Donne 4 portions

## INGRÉDIENTS

2 c. à soupe de margarine
1/2 lb d'échalotes françaises pelées
1/2 tasse de cidre de glace
Sel et poivre au goût

## PRÉPARATION

Dans une poêle, chauffer la margarine et y faire dorer les échalotes environ 2 minutes. S'assurer que tous les côtés des échalotes sont bien cuits. Verser le cidre de glace, couvrir et laisser mijoter à feu moyen 10 minutes. Découvrir, assaisonner et laisser réduire 15 minutes. Servir chaud une fois bien caramélisé.

### SAVIEZ-VOUS QUE?

Ces échalotes confites rehaussent bien des plats. Si on ne désire pas utiliser le cidre de glace, quand même assez cher, on peut le remplacer par un mélange moitié-moitié de vin blanc sec et de sirop d'érable.

# Entrée légumineuse !

Donne 4 portions

## INGRÉDIENTS

1 1/2 tasse d'un mélange de légumineuses cuites
(haricots rouges, doliques et pois chiches)
2 c. à soupe d'huile d'olive
Jus de 1 citron
2 gousses d'ail émincées
1 c. à soupe de coriandre hachée
2 oignons verts hachés
Sel et poivre
Persil haché

## PRÉPARATION

Rincer les légumineuses et les verser
dans un bol. Les broyer à l'aide d'un pilon.
Ajouter l'huile d'olive, le jus de citron, l'ail, la
coriandre et les oignons verts, puis mélanger afin
d'obtenir un mélange onctueux. Saler et poivrer. Verser
dans un bol de service et réfrigérer au moins 30 minutes
avant de servir. Décorer de persil haché.

# Explosion de pois mange-tout
### Donne 4 portions

## INGRÉDIENTS

3 tasses de pois mange-tout
1/4 tasse d'huile d'olive
1 gousse d'ail émincée
1/4 c. à thé de piments broyés
1 boîte de 227 ml (8 oz) de petits champignons blancs
1 boîte de 200 ml (7 oz) de châtaignes d'eau, en tranches
Sel et poivre au goût
Persil haché

## PRÉPARATION

Faire cuire les pois mange-tout environ 7 minutes dans de l'eau salée. Rincer et réserver. Dans une poêle, chauffer l'huile et y faire dorer l'ail. Ajouter les piments, les champignons et les tranches de châtaignes. Laisser mijoter 10 minutes, tout au plus. Incorporer les pois mange-tout, assaisonner et servir chaud en décorant avec le persil.

# Flageolets en sauce tomate
Donne 4 portions

## INGRÉDIENTS

2 c. à soupe d'huile d'olive
2 gousses d'ail émincées
2 oignons, en dés
1 c. à soupe de thym
4 ou 5 grosses tomates, en dés avec leur jus
3 tasses de flageolets prêts à servir

## PRÉPARATION

Dans une grande poêle, faire chauffer l'huile et y dorer l'ail. Ajouter les oignons, le thym et les tomates. Laisser cuire 15 minutes avant d'ajouter les flageolets. Laisser mijoter une trentaine de minutes ou jusqu'à ce que les haricots soient tendres. Servir chaud.

# Frittata aux oignons
## Donne 6 portions

## INGRÉDIENTS

1/2 c. à thé de beurre

1 tasse d'oignons finement hachés

1/2 tasse de substitut d'œuf

1/8 de tasse de fromage parmesan râpé

1 gros œuf

1/8 de tasse de crème sure sans gras

24 morceaux (environ 2,5 cm chacun) de ciboulette fraîche

1 pincée de sel

1 pincée de poivre noir fraîchement moulu

Aérosol de cuisson

## PRÉPARATION

Préchauffer le four à 350 °F. Faire fondre le beurre dans une poêle antia-dhésive à feu moyen. Ajouter l'oignon dans la poêle et faire cuire jusqu'à ce que les oignons soient brun doré en remuant de temps à autre (5 minutes). Étendre le mélange sur une plaque à biscuits d'environ 27 x 17 cm enduite d'aérosol de cuisson. Mélanger le substitut d'œuf, 2 c. à soupe de fromage, le sel, le poivre et l'œuf. Verser le mélange d'œufs uniformément sur les oignons ; saupoudrer 2 c. à soupe de fromage. Faire cuire à 350 °F jusqu'à ce que le tout soit bien cuit (20 minutes). Laisser refroidir quelques instants puis couper en 24 morceaux. Couvrir chaque bouchée de 1/2 c. à thé de crème sure et de deux morceaux de ciboulette.

# Gaspacho
### Donne 4 portions

## INGRÉDIENTS

1 concombre anglais pelé
1 poivron rouge, en gros dés
1 poivron vert, en gros dés
1/2 oignon blanc, en quartiers
8 tomates de vigne pelées
1/4 tasse d'huile d'olive
2 c. à soupe de coriandre
fraîche, hachée
1 c. à soupe de vinaigre de
vin blanc
2 gousses d'ail émincées
Jus de 1 lime
Sel et poivre au goût
Sauce tabasco au goût

## PRÉPARATION

Réduire les ingrédients en purée au robot culinaire. Ajuster l'assaisonnement et déposer dans un grand bol, puis réfrigérer environ 2 heures. Servir froid.

### SAVIEZ-VOUS QUE ?
Il est fort probable que tous les ingrédients n'entrent pas d'un coup dans le robot culinaire. Préparer le gaspacho en deux ou trois étapes.

# Hummos

## Hoummos

Donne environ 4 tasses

## INGRÉDIENTS

2 1/2 tasses de pois chiches trempés pendant 24 heures
6 gousses d'ail
1 tasse de tahini (beurre de sésame)
Jus de 3 citrons
3 c. à soupe d'huile d'olive (approximatif)
6 c. à soupe d'eau (approximatif)
Persil frais ou séché
1 pincée de paprika
Noix de Grenoble ou pignons, pour décorer

## PRÉPARATION

Rincer les pois chiches et les passer au robot. Ajouter l'ail et mélanger à nouveau. Verser environ la moitié du beurre de sésame et du jus de citron. Mélanger encore et gratter les bords du bol avec une spatule afin d'obtenir une pâte homogène. Incorporer 1 c. à soupe d'huile d'olive et 2 c. à soupe d'eau à la fois en mélangeant, jusqu'à l'obtention de la texture idéale. Ajuster les saveurs en ajoutant du beurre de sésame, du jus de citron, de l'huile ou de l'eau. Déposer l'hoummos dans un plat, saupoudrer de persil et de paprika, puis garnir de noix de Grenoble. Servir avec du pain pita et des légumes.

### SAVIEZ-VOUS QUE ?

On peut remplacer les pois chiches secs par deux boîtes de conserve et ainsi éviter le temps de trempage. L'hoummos se prépare au goût de chacun. Ajuster les quantités au goût, utiliser des limettes à la place du citron...

# Ketchup de courge

Donne environ 4 tasses

## INGRÉDIENTS

2 1/2 tasses de chair de courge butternut
3 poires épluchées, en dés
1 1/4 tasse de sucre
1 c. à thé de gros sel de mer
2 c. à soupe d'huile d'olive
1 oignon, en fines lamelles
2 gousses d'ail émincées
1/2 piment fort
1/2 poivron rouge
2 c. à soupe de raisins secs
1/2 c. à thé de graines de carvi
1/2 c. à thé de gingembre frais, râpé
4 c. à soupe de vinaigre de xérès
Poivre au goût
1 c. à thé de moutarde à l'ancienne

## PRÉPARATION

Mettre dans un grand chaudron la courge, les poires, le sucre et le sel. Laisser macérer environ 1 heure, puis faire cuire à feu doux 20 minutes en brassant quelquefois. Dans une poêle, chauffer l'huile et y faire revenir l'oignon, l'ail, le piment et le poivron jusqu'à ce que les lamelles d'oignon soient translucides. Joindre les légumes de la poêle au mélange de courge et laisser cuire encore 10 minutes. Ajouter le reste des ingrédients et faire mijoter 40 minutes. Rectifier l'assaisonnement. Laisser refroidir et verser dans des pots avant de réfrigérer.

# Pain à la bière

Donne 1 pain

## INGRÉDIENTS

2 tasses de farine à pain
1 tasse de farine de blé entier à pâtisserie
1 c. à soupe de levure chimique (poudre à pâte)
1 c. à thé de bicarbonate de soude
1 pincée de sel de mer
1/4 tasse de cassonade
1 bouteille de 341 ml (12 oz) de bière

## PRÉPARATION

Mélanger les farines, la levure, le bicarbonate de soude, le sel et la cassonade. Creuser un puits et y verser une bière gardée à la température de la
pièce. Humecter lentement, à la cuillère. Une fois le liquide absorbé, rouler la
pâte et ajouter un peu de farine si elle est trop collante. Façonner un bâton de
la longueur d'un moule à pain. Graisser le moule, y déposer la pâte et cuire à
325 °F environ 40 minutes.

VARIANTES
Il existe tant de bonnes bières sur le
marché aujourd'hui qu'on peut modifier
ce pain comme bon nous semble. Essayer
par exemple avec une bière aux abricots.
Un délice !

# Pain à la courge
## Donne 1 pain

## INGRÉDIENTS

1 1/2 tasse de courge butternut
1 tasse de farine blanche à pain
1/2 tasse de farine de blé entier
1 sachet (1 1/2 c. à thé) de levure
1 c. à thé de sel de mer fin
1/2 c. à thé de sucre
1 c. à soupe d'huile d'olive
2 c. à soupe de farine tout usage

## PRÉPARATION

Faire cuire la chair de courge à la vapeur 20 minutes. La réduire en purée au mélangeur ou au robot. Laisser refroidir. Verser la purée froide dans un grand bol et ajouter les farines, la levure, le sel et le sucre. Bien mélanger. Pétrir afin d'obtenir une pâte souple et ferme. Couvrir d'un linge propre et laisser gonfler la pâte durant 2 heures. Une fois qu'elle a doublé de volume, la pétrir de nouveau et former un bâton de la longueur d'un moule à pain. Huiler et fariner ce moule avant d'y déposer la pâte. La laisser doubler encore de volume. Déposer un petit bol d'eau au four et cuire le pain à 415 °F pendant 50 minutes.

### SAVIEZ-VOUS QUE ?

On peut utiliser une variété de courges pour faire ce pain. Les graines de la butternut sont aussi succulentes que celles de la citrouille si on les place au four à feu doux jusqu'à ce qu'elles soient sèches. On obtient une collation qui remplace les chips ou les arachides, très calorifiques.

# Pita-chips
### Donne 4 portions

## INGRÉDIENTS

2 petits pains pita ou 1 grand
2 c. à soupe d'huile d'olive
1 c. à soupe de thym séché
1 c. à soupe de basilic séché
Sel et poivre au goût

## PRÉPARATION

Sur une plaque allant au four, déposer le ou les pains pita et badigeonner d'huile d'olive sur toute la surface. Saupoudrer ensuite de fines herbes et assaisonner. Cuire sous le gril 5 minutes ou jusqu'à ce que le pain prenne une belle couleur dorée. Couper en pointes et servir chaud.

### SAVIEZ-VOUS QUE ?

Si on aime le fromage parmesan, rien n'empêche d'en saupoudrer quelques brins sur ce pain qui peut s'apprêter avec ses fines herbes préférées.

# Pommes de terre aux épices
Donne 4 portions

## INGRÉDIENTS

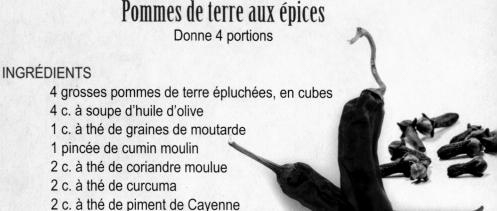

4 grosses pommes de terre épluchées, en cubes
4 c. à soupe d'huile d'olive
1 c. à thé de graines de moutarde
1 pincée de cumin moulin
2 c. à thé de coriandre moulue
2 c. à thé de curcuma
2 c. à thé de piment de Cayenne
1/4 c. à thé de cardamome
1/4 c. à thé de clou de girofle moulu
1/2 c. à thé de cannelle moulue
1 c. à thé de sel
1 tomate en dés

## PRÉPARATION

Faire cuire les pommes de terre dans l'eau pendant 10 minutes. Retirer l'eau et refroidir. Verser 2 c. à soupe d'huile d'olive sur les pommes de terre et mélanger pour bien imbiber tous les morceaux. Déposer les cubes huilés sur une plaque et enfourner sous le gril pendant 10 minutes en retournant à mi-cuisson. Chauffer 2 c. à soupe d'huile dans une poêle et y faire éclater les graines de moutarde. Ajouter le cumin, la coriandre, le curcuma, le piment de Cayenne, la cardamome, le clou de girofle, la cannelle, le sel et les dés de tomate. Bien mélanger, ajouter l'eau puis les pommes de terre. Laisser cuire en remuant jusqu'à ce que le liquide se soit évaporé. Servir chaud.

SAVIEZ-VOUS QUE ?
Si on est sensible aux plats trop épicés, ne pas hésiter à réduire de moitié les mesures.

# Pomme en salade
## Donne 4 portions

### INGRÉDIENTS

1/4 tasse d'huile de tournesol

1/4 tasse de jus de pomme concentré

1/4 tasse de vinaigre de cidre

2 c. à soupe de moutarde à l'ancienne

1 gousse d'ail émincée

Sel et poivre au goût

2 tasses de laitue rouge

1 tasse de chicorée frisée

Jus de 1 citron

1 pomme, en dés

### PRÉPARATION

Préparer la vinaigrette en mélangeant vigoureusement, dans un petit bol, l'huile de tournesol, le jus de pomme, le vinaigre de cidre, la moutarde, l'ail, le sel et le poivre. Dans un saladier, déposer la laitue et la chicorée. Verser le jus de citron sur les morceaux de pomme pour les empêcher d'oxyder. Ajouter la pomme à la salade et napper de vinaigrette.

### VARIANTES
Les salades ne sont plus ce qu'elles étaient ! Adieu la belle iceberg seule, et bienvenue les scaroles, roquettes, mâches, pissenlits, séneçons, cerfeuil, pourpier, et le reste !

# Riz pilaf aux abricots

## Donne 4 portions

## INGRÉDIENTS

1 tasse de riz basmati

3 abricots secs, en dés

2 c. à soupe d'huile d'olive

1 2/3 tasse de bouillon de légumes

1 pincée de sel

Poivre au goût

1/2 c. à thé de sucre

1 oignon, en dés

15 amandes pelées, hachées grossièrement

2/3 tasse de châtaignes en conserve, coupées en quatre

1/2 c. à thé de cannelle

1/2 c. à thé de quatre-épices

Sel et poivre au goût

## PRÉPARATION

Dans un bol, faire tremper le riz dans de l'eau environ 1 heure. Simultanément, dans un autre bol, faire tremper les abricots. Dans un chaudron moyen, chauffer 1 c. à soupe d'huile et y faire revenir le riz 5 minutes. Ajouter le bouillon de légumes, le sel, le poivre et le sucre, puis porter à ébullition. Baisser le feu, couvrir et laisser gonfler environ 20 minutes. Dans une poêle, chauffer 1 c. à soupe d'huile et y faire revenir l'oignon. Ajouter les amandes et les abricots. Laisser dorer, puis ajouter les châtaignes, la cannelle et le quatre-épices en mélangeant. Couvrir et laisser reposer environ 10 minutes. Servir chaud.

# Riz sauvage
## Donne 4 portions

## INGRÉDIENTS

1 tasse d'un mélange de riz
brun et de riz sauvage
3 tasses de bouillon
de légumes
1 c. à soupe d'huile d'olive
1 gousse d'ail émincée
4 c. à soupe de pignons
2 oignons verts émincés
Sel au goût

## PRÉPARATION

Faire tremper le riz 1 heure ou plus.
Verser le bouillon de légumes dans un
chaudron et porter à ébullition. Rincer
le riz et l'ajouter au bouillon. Réduire
la chaleur et laisser mijoter jusqu'à
l'obtention d'un riz tendre mais encore
ferme. Réserver. Dans une poêle,
verser l'huile d'olive et y faire dorer
l'ail, les pignons et les oignons verts.
Saler. Ajouter le riz et faire sauter
quelques secondes. Servir chaud.

# Salade au guacamole
Donne 4 portions

INGRÉDIENTS

> 2 avocats bien mûrs
> Jus de 1 citron
> Sel au goût
> 1 gousse d'ail émincée
> 2 oignons verts tranchés fin
> 4 tasses de salade mesclun
> Quelques feuilles de basilic frais, émincées
> 2 tomates italiennes, en quartiers
> Persil italien frais

PRÉPARATION

Pour faire le guacamole, couper les avocats en deux et enlever leur noyau. Ôter la pelure et déposer la chair dans un bol. Verser le jus de citron, ajouter un peu de sel et écraser les avocats afin d'obtenir une purée fine. Ajouter l'ail et les oignons verts. Réfrigérer. Rincer la salade et la mettre dans un saladier. Ajouter le basilic, mélanger et garnir de guacamole. Disposer les tomates pour que le tout ait belle apparence, et décorer de persil.

VARIANTE

On peut changer la saveur de la salade en remplaçant le basilic par d'autres fines herbes au choix, comme la coriandre ou l'origan.

# Salade de concombres
### Donne de 4 à 6 portions

## INGRÉDIENTS

3 concombres pelés, en fines demi-lunes

1 oignon doux, en lamelles

1 c. à soupe de sel de mer fin

1/4 tasse d'aneth ou de fenouil frais, haché

1/4 tasse de bulbe de fenouil frais, en dés

2 c. à soupe d'huile d'olive

3 c. à soupe de vinaigre balsamique

1 c. à thé de cassonade

1 tasse de radicchio haché

## PRÉPARATION

Déposer les concombres et les lamelles d'oignon dans une passoire et saler. Laisser ainsi une vingtaine de minutes, pour faire dégorger les légumes. Rincer généreusement à l'eau froide et presser pour éliminer le liquide. Mettre tous les légumes, sauf le radicchio, dans un bol et asperger d'huile d'olive et de vinaigre balsamique. Ajouter la cassonade, bien mélanger et servir sur un lit de radicchio.

# Salade d'endives

Donne 4 portions

## INGRÉDIENTS

3 c. à soupe de noisettes
3 c. à soupe de tofu soyeux (mou)
2 c. à soupe d'huile de sésame
2 c. à soupe d'huile d'olive
1 c. à thé de moutarde à l'ancienne
Sel et poivre
2 endives émincées
2 tasses de laitue
1/3 tasse de raisins secs
2 pommes, en dés
3 c. à soupe de persil frais, haché

## PRÉPARATION

Griller les noisettes au four à 400 °F une dizaine de minutes. Hacher et réserver. Faire la vinaigrette en mélangeant vigoureusement le tofu, l'huile de sésame, l'huile d'olive, la moutarde, le sel et le poivre. Déposer les endives hachées dans un saladier et ajouter les autres ingrédients. Verser la vinaigrette au moment de servir.

# Salade d'épinards et de sésame
### Donne 4 portions

## INGRÉDIENTS

- 3 tomates de vigne, en quartiers
- 1/2 poivron rouge, en lanières
- 1/2 tasse de haricots germés
- 3 tasses de feuilles d'épinards
- 1/2 boîte de 284 ml (10 oz) de mandarines
- 2 c. à soupe d'huile d'olive
- 1 c. à thé d'huile de sésame
- 2 c. à soupe de sirop de mandarine
- 2 c. à thé de sauce soya ou tamari
- 1 c. à thé de gingembre frais, râpé
- 2 c. à soupe de graines de sésame grillées

## PRÉPARATION

Dans un bol à salade, déposer les tomates, les lanières de poivron, les haricots germés et les épinards. Égoutter les mandarines, les ajouter aux épinards et en réserver le jus. Préparer la vinaigrette en fouettant ensemble les huiles, le sirop de mandarine réservé, la sauce soya ou tamari et le gingembre. Verser sur le mélange d'épinards, mélanger et saupoudrer de graines de sésame. Servir frais.

# Salade de fenouil aux olives
## Donne 4 portions

## INGRÉDIENTS

2 bulbes de fenouil
1/4 tasse d'olives
1/4 tasse d'huile d'olive
Jus de 1 citron
Sel et poivre
2 c. à thé d'origan frais, haché
Ciboulette hachée, au goût

## PRÉPARATION

Nettoyer les bulbes de fenouil, puis les laisser tremper 20 minutes dans de l'eau bouillante. Les passer à l'eau froide et les émincer. Verser dans un saladier avec les olives. Dans un petit bol, fouetter l'huile d'olive, le jus de citron, le sel, le poivre et l'origan. Verser sur le fenouil et garnir de ciboulette. Servir frais.

# Salade de fusillis

Donne 4 portions

## INGRÉDIENTS

1 1/2 tasse de fusillis trois couleurs
2 c. à soupe d'huile d'olive
2 oignons verts émincés
1 gousse d'ail émincée
1 courgette, en dés
1 poivron jaune, en dés
1/2 poivron vert, en dés
Jus de 1 lime
16 tomates cerises, en moitiés
2 c. à soupe de persil frais, haché
1 c. à soupe de basilic frais, haché
1/4 c. à thé de piment de Cayenne
1/4 c. à thé de sel de céleri
1/4 c. à thé de poudre d'ail ou d'oignon
Sel et poivre au goût

## PRÉPARATION

Faire cuire les pâtes. Réserver. Dans une poêle, chauffer l'huile et y faire revenir les oignons verts, l'ail, la courgette et les poivrons. Verser le jus de lime, réduire le feu et cuire 2 minutes. Dans un saladier, mélanger tous les ingrédients et le jus de cuisson. Réfrigérer 1 heure. Servir froid.

# Salade de riz à l'avocat
### Donne 4 portions

## INGRÉDIENTS

1 tasse d'un mélange de riz blanc et brun

1 concombre ou 1/2 concombre anglais épluché, en rondelles

1 carotte, en dés

1 branche de céleri en dés

1/2 tasse de maïs en grains

1/4 oignon rouge, en dés

1/4 tasse d'olives noires, en rondelles

5 c. à soupe d'huile d'olive

4 c. à thé de vinaigre balsamique

1 c. à thé de thym séché

2 avocats pelés, en tranches

Jus de 1 citron

Sel et poivre au goût

## PRÉPARATION

Laisser tremper le riz environ 1 heure avant de le faire cuire dans 2 1/2 tasses d'eau, avec quelques grains de sel et un filet d'huile d'olive ou 1 c. à thé de margarine. Égoutter et laisser refroidir. Asperger le concombre de sel, laisser reposer 30 minutes, rincer et éponger. Faire cuire la carotte, le céleri et le maïs à la marguerite pendant 5 minutes. Laisser refroidir. Mêler au riz froid les légumes de la marguerite, le concombre, les dés d'oignon et les olives. Verser l'huile d'olive, le vinaigre balsamique et le thym. Assaisonner et mélanger. Déposer les tranches d'avocat sur la salade et arroser de jus de citron.

# Salade de riz et lentilles
## Donne 4 portions

### INGRÉDIENTS

1/2 tasse de lentilles vertes
1/2 tasse d'un mélange de riz brun, blanc et sauvage
1 1/2 tasse d'eau
1 petit oignon rouge, en dés
1/2 c. à thé de thym
1/2 c. à thé de persil
Sel et poivre au goût
1 c. à soupe de jus de citron
3 c. à soupe d'huile d'olive

### PRÉPARATION

Faire tremper dans des bols séparés les lentilles et le riz environ 1 heure. Faire bouillir les lentilles, en salant à mi-cuisson, jusqu'à ce qu'elles soient tendres mais encore fermes. Porter l'eau à ébullition et y faire cuire le riz. Bien rincer le riz et les lentilles pour les refroidir. Verser dans un grand bol à salade, puis ajouter l'oignon rouge, le poivron rouge et les fines herbes. Assaisonner. Dans un petit bol, fouetter à la fourchette le jus de citron et l'huile, puis verser ce mélange sur la salade. Bien mélanger et servir ou réfrigérer.

38

# Salade tiède d'asperges au sirop d'érable

Donne 4 portions

## INGRÉDIENTS

3 c. à soupe d'huile d'olive
24 asperges crues
2 c. à soupe de sirop d'érable
Jus de 1/2 citron
Sel et poivre au goût
1 c. à thé de thym frais
4 feuilles de laitue romaine
Persil frais

## PRÉPARATION

Dans une poêle, faire chauffer l'huile d'olive. Y déposer les asperges et les cuire 5 minutes. Ajouter le sirop d'érable et le jus de citron. Assaisonner de sel, de poivre et de thym frais. Laisser cuire jusqu'à ce que les asperges soient tendres. Servir tiède sur une grande feuille de laitue romaine et garnir de persil frais.

# Sandwich aux légumes grillés
## Donne 4 sandwichs

## INGRÉDIENTS

1 c. à soupe d'huile d'olive
1 gousse d'ail émincée
2 poivrons rouges, en 8 quartiers
2 poivrons jaunes, en 8 quartiers
1 courgette, en lamelles
1 aubergine, en tranches de 1,5 cm (1/2 po) d'épaisseur
Sel et poivre au goût
4 petits pains aux olives
Mayonnaise
Basilic frais ou séché
Vinaigre balsamique

## PRÉPARATION

Dans une poêle, chauffer l'huile et y faire revenir l'ail. Ajouter les légumes coupés et faire revenir environ 10 minutes, pour qu'ils soient encore croquants. Assaisonner. Couper les pains en deux et les badigeonner de mayonnaise. Laisser tomber quelques brins de basilic, puis déposer les légumes grillés. Sur les légumes, verser quelques gouttelettes de vinaigre balsamique. Refermer et déguster.

### VARIANTE

On peut ajouter à ce sandwich une tranche de fromage havarti aux fines herbes ou aux tomates séchées. Servir avec une soupe et voilà un formidable repas du midi santé!

# Taboulé
### Donne 6 à 8 portions

## INGRÉDIENTS
> 1 tasse de blé concassé
> 1 tasse d'eau chaude
> 1/2 concombre haché
> 1 petite tomate hachée
> 4 oignons verts tranchés
> 1/4 tasse de menthe
> fraîche hachée
> 1 tasse de persil frais, haché
> 1/2 gousse d'ail
> finement tranché

## VINAIGRETTE
> 1/4 tasse de jus de citron frais
> 1/3 de tasse d'huile d'olive extra vierge
> 1/2 c. à soupe de poivre
> 1 c. à thé de sel

## PRÉPARATION
Faire tremper le blé dans l'eau chaude jusqu'à ce que l'eau soit absorbée (30 minutes). Égoutter l'excédent d'eau et éponger au besoin. Mélanger le blé, le concombre, les tomates, les oignons, la menthe, le persil et l'ail dans un bol. Mélanger le jus de citron, l'huile d'olive, le poivre et le sel dans un petit bol et verser sur la salade de taboulé. Servir froid ou à la température ambiante.

# Tapenade d'olives noires
## Donne 4 portions

### INGRÉDIENTS

2 gousses d'ail émincées
1 tasse d'olives noires
dénoyautées, hachées
1/4 tasse d'huile d'olive
2 c. à soupe de jus de citron
1 c. à soupe de
persil frais, haché
Sel et poivre au goût

### PRÉPARATION

Dans un robot culinaire, réduire l'ail et les olives en purée très fine. Ajouter l'huile, le jus de citron et le persil, puis mélanger à nouveau. Assaisonner au goût. Servir frais avec des morceaux de pain pita.

# Tomates farcies au fromage de chèvre
Donne 12 portions

## INGRÉDIENTS

1/2 tasse de chapelure Panko
1/2 tasse de parmesan fraîchement râpé
1/8 de tasse de persil frais, haché
1/2 c. à soupe de jus de citron frais
1/2 c. à thé d'ail finement haché
1/8 de tasse de beurre fondu
160 g de fromage de chèvre mou
1/4 c. à thé de poivre noir fraîchement moulu
1 pincée de sel
6 tomates italiennes
Pesto

## PRÉPARATION

Mélanger la chapelure, le parmesan, le persil, le jus de citron et l'ail dans un bol profond. Incorporer le beurre fondu et réserver. Mélanger le fromage de chèvre, le poivre et le sel dans un petit bol. Couper les tomates en 2 horizontalement. Tailler les extrémités de façon à ce que les demi-tomates puissent se tenir debout. Extraire les graines et la pulpe et verser 1 c. à thé du mélange de fromage de chèvre dans chaque moitié. Tremper les moitiés de tomates à l'envers dans le mélange de chapelure en recouvrant généreusement le fromage de chèvre et déposer sur une plaque à biscuits non graissée en posant le dessus vers le haut. Faire cuire à 400 °F jusqu'à ce que la chapelure soit légèrement dorée (15 à 18 minutes). Transférer les tomates farcies sur une assiette et napper de pesto.

# Tomates provençales
## Donne 4 portions

## INGRÉDIENTS

4 tomates bien rondes
2 c. à soupe d'huile d'olive
Sel et poivre au goût
1 pincée de cassonade
2 gousses d'ail émincées
2 c. à soupe de persil italien frais, haché
4 c. à soupe de chapelure
1 c. à soupe d'huile d'olive

## PRÉPARATION

Laver les tomates et les couper en deux à l'horizontale. Retirer les pépins. Dans une poêle, verser l'huile, chauffer à haute température et y dorer pendant 8 à 10 minutes les demi-tomates du côté tranché. Retourner les tomates et laisser cuire encore de 8 à 10 minutes, à feu doux cette fois. Préchauffer le four à 250 °F. Assaisonner les tomates et y saupoudrer quelques grains de cassonade pour favoriser la caramélisation. Ajouter l'ail, le persil et la chapelure sur les tomates et arroser d'un filet d'huile d'olive. Cuire au four de 50 à 60 minutes. Servir avec des morceaux de pain complet pour imbiber le jus de cuisson.

### SAVIEZ-VOUS QUE ?

On peut employer la chapelure qu'on désire, qu'elle soit commerciale ou non. Une chapelure maison donnera cependant une touche personnelle à ces tomates. Un truc rapide : prendre de 6 à 8 craquelins Breton, les écraser et les transformer en chapelure à l'italienne en ajoutant des herbes, dont des brindilles de thym.

# Végé-pâté maison
Donne 4 portions

## INGRÉDIENTS

1/2 tasse de graines
de tournesol non salées
1/4 tasse de farine
de blé entier
1 pomme de terre, en dés
1 oignon, en dés
1 c. à thé de jus de citron

2 c. à soupe d'huile d'olive
3/4 tasse de bouillon
de légumes
1/4 c. à thé de thym séché
1/2 c. à thé de basilic séché
1/4 c. à thé de sauge
Poivre et sel au goût

## PRÉPARATION

Passer au robot culinaire les graines de tournesol, la farine, la pomme de terre et l'oignon. Ajouter le jus de citron, l'huile, le bouillon et les herbes, puis mélanger à nouveau. Assaisonner et mélanger encore jusqu'à l'obtention d'une consistance homogène. Graisser un moule à pain en vitre et y verser le mélange. Enfourner à 350 °F et laisser cuire 50 minutes. Servir froid avec des biscottes ou des craquelins, ou encore dans un sandwich.

# Chapitre II

# Les soupes

Quoi de plus réconfortant qu'une bonne soupe? Dans la section qui suit, vous trouverez quelques exemples de soupes nourrissantes, simples à réaliser. Aucune ne contient ne serait-ce qu'un soupçon de produit d'origine animale.

# Bortsch

Donne de 4 à 6 portions

## INGRÉDIENTS

1 c. à soupe d'huile d'olive
1 oignon, en dés
1 gousse d'ail émincée
1 poireau émincé
1 carotte, en dés
6 tasses de bouillon de légumes
2 betteraves pelées, en cubes
1 tasse de tomates pelées, en cubes
1 pincée de sel
1 c. à thé de thym frais
1 feuille de laurier
Ciboulette hachée

## PRÉPARATION

Verser l'huile dans un chaudron et y faire suer l'oignon, l'ail, le poireau et la carotte. Ajouter le bouillon de légumes, les betteraves, les tomates, le sel, le thym et la feuille de laurier. Porter à ébullition, couvrir, baisser le feu et laisser mijoter à feu doux pendant 90 minutes. Retirer le laurier puis fouetter à l'aide d'un mélangeur à main. Servir chaud, saupoudré de ciboulette hachée.

# Bouillon aux champignons
## 4 portions

### INGRÉDIENTS

1 c. à soupe de beurre
1 c. à soupe d'oignon
finement haché
1 tasse de champignons
tranchés (blancs, pleurotes,
portobellos, shiitake, etc.)
1/2 tasse de vin rouge
1 pincée d'estragon
1 échalotte tranchée
3 tasses de bouillon de légumes
Sel et poivre au goût

### PRÉPARATION

Dans une casserole, faire revenir l'oignon à feu doux dans le beurre jusqu'à ce qu'il soit tendre. Ajouter les champignons et les faire revenir jusqu'à ce qu'ils aient rendu toute leur eau. Ajouter le vin rouge et l'estragon, et laisser réduire le liquide de moitié. Verser le bouillon de légumes et amener à ébullition. Retirer du feu. Saler et poivrer au besoin et ajouter les échalottes.

# Crème de carottes
## Donne de 4 à 6 portions

### INGRÉDIENTS

2 c. à soupe d'huile d'olive
1 gousse d'ail émincée
1 oignon, en dés
3 tasses de carottes, en dés
1 chou-fleur en bouquets
4 tasses de bouillon de légumes
1 bouquet garni
Sel et poivre au goût
Ciboulette hachée

### PRÉPARATION

Dans un grand chaudron, faire chauffer l'huile et y dorer l'ail et l'oignon. Ajouter les carottes et laisser cuire 5 minutes à feu moyen-vif tout en brassant. Ajouter le chou-fleur et couvrir de bouillon. Ajouter le bouquet garni et laisser cuire à feu doux, à couvert, le temps que le chou-fleur et les carottes soient tendres. Assaisonner. Passer le tout au mélangeur jusqu'à l'obtention d'une consistance lisse. Corriger l'assaisonnement. Servir chaud avec de la ciboulette.

# Crème de champignons sauvages
### Donne 4 portions

## INGRÉDIENTS

1/4 tasse de porcinis déshydratés (cèpes)
1/4 tasse de beurre
1 oignon finement haché
1 gousse d'ail tranchée
Tiges de thym
2 tasses de champignons sauvages variés, environ 400 g
3 tasses de bouillon de légumes
1 3/4 tasse de crème fraîche
4 tranches de pain blanc, environ 100 g, taillées en dés
Ciboulette et huile de truffes, pour le service

## PRÉPARATION

Amener l'eau à ébullition et versez-en juste assez sur les porcinis déshydratés pour les recouvrir. Réchauffer la moitié du beurre dans une casserole et saisir l'oignon, l'ail et le thym 5 minutes, jusqu'à ce qu'ils commencent à dorer. Égoutter les porcinis et réserver le jus. Ajouter les porcinis et les champignons sauvages à l'oignon et laisser cuire 5 minutes, jusqu'à ce qu'ils ramollissent. Verser le bouillon et le jus réservé, amener à ébullition et laisser mijoter 20 minutes. Incorporer la crème fraîche et laisser mijoter quelques minutes de plus. Fouetter la soupe et tamiser dans une passoire fine ; réserver. Réchauffer le reste du beurre et faire dorer les morceaux de pain jusqu'à ce qu'ils deviennent colorés. Égoutter sur des essuie-tout. Pour servir, réchauffer la soupe et faire mousser à l'aide d'un mélangeur portatif, si désiré. Verser la soupe dans des bols, surmonter de croûtons et de ciboulette et arroser d'huile de truffes.

SAVIEZ-VOUS QUE ?
Les mélanges de champignons sauvages sont délicieux lorsqu'ils sont assaisonnés et frits dans l'huile d'olive ou le beurre, étalés sur une rôtie beurrée et surmontés d'un œuf poché.

# Crème de pois cassés

Donne de 4 à 6 portions

INGRÉDIENTS

    1 tasse de pois cassés
    4 tasses de bouillon
    de légumes
    2 c. à soupe d'huile d'olive
    1 gousse d'ail émincée
    1 oignon émincé
    1 carotte, en dés
    1 pomme de terre, en dés
    2 c. à soupe de persil frais
    1 c. à soupe de cumin moulu
    Sel et poivre au goût

PRÉPARATION

Faire tremper les pois cassés au moins 1 heure. Égoutter. Porter le bouillon de légumes à ébullition et y ajouter les pois cassés. Chauffer l'huile dans une poêle et y faire dorer l'ail et l'oignon. Ajouter la carotte et la pomme de terre, puis laisser cuire à feu moyen pendant 5 minutes en remuant. Verser les légumes dans le bouillon, ajouter le persil et le cumin. Baisser le feu, couvrir et laisser mijoter 1 heure. Saler et poivrer au goût. Passer au mélangeur avant de servir.

53

# Minestrone

Donne de 4 à 6 portions

## INGRÉDIENTS

3 c. à soupe d'huile d'olive

1 poireau émincé

2 carottes, en dés

1 bulbe de fenouil émincé

2 branches de céleri, en demi-lunes

2 pommes de terre, en dés

1 tasse de haricots verts coupés en 2 ou 3

1 navet, en dés

1 panais, en dés

Sel au goût

4 tasses d'eau

2 courgettes, en dés

1 tasse de bouquets de brocoli

1/2 tasse de pâtes pour la soupe (macaroni, alphabet, etc.)

2 c. à soupe de basilic frais, haché

## PRÉPARATION

Dans un grand chaudron, chauffer l'huile et y faire revenir le poireau. Ajouter les carottes, le fenouil, le céleri, les pommes de terre, les haricots verts, le navet et le panais. Saler et laisser cuire 5 minutes à feu moyen. Verser l'eau, couvrir et laisser mijoter jusqu'à ce que les légumes soient cuits mais encore croquants. Incorporer les courgettes et le brocoli et reporter à ébullition. Ajouter les pâtes et le basilic, couvrir et laisser cuire encore 10 minutes. Servir chaud.

SAVIEZ-VOUS QUE ?
La soupe minestrone est en fait un mélange
de légumes de toutes sortes. Utiliser ce
qu'on a sous la main et, surtout, retenir qu'il
y a toujours plus de vitamines et de minéraux
dans des aliments frais.

# Potage aux légumes

Donne 2 à 4 portions

## INGRÉDIENTS

1 c. à soupe de beurre

1 petit oignon, en dés

1 poireau, en dés

1 pomme de terre, en dés

1 carotte, en dés

1 petit navet, en dés

1 branche de céleri, en dés (feuilles de céleri, au goût)

1 boîte de tomates italiennes, en dés, avec leur jus

3 tasses de bouillon de légumes

1 feuille de laurier

2 pincées de fines herbes séchées

(un mélange de basilic, origan, sarriette, thym, marjolaine, etc.)

1 pincée de graines d'anis

Sel et poivre au goût

## PRÉPARATION

Dans une casserole, faire revenir l'oignon et le poireau à feu doux dans le beurre jusqu'à ce qu'ils soient tendres. Ajouter la pomme de terre, la carotte, le navet, le céleri et ses feuilles, la boîte de tomates, le bouillon, le laurier, les fines herbes et les graines d'anis. Amener à ébullition, réduire la chaleur et laisser mijoter jusqu'à ce que les légumes soient tendres. Saler et poivrer au besoin.

# Potage aux lentilles

Donne de 4 à 6 portions

## INGRÉDIENTS

2 c. à soupe d'huile d'olive
1 oignon, en dés
1 gousse d'ail émincée
1 carotte, en dés
2 c. à soupe de persil frais, haché
1 tasse de lentilles vertes
4 tasses de bouillon de légumes
Sel et poivre au goût
1 feuille de laurier

## PRÉPARATION

Dans un grand chaudron, chauffer l'huile et y faire dorer l'oignon et l'ail. Ajouter la carotte, le persil, les lentilles et le bouillon. Assaisonner et mettre la feuille de laurier. Porter à ébullition, réduire le feu, couvrir et laisser mijoter 30 minutes. Vérifier la cuisson des lentilles, enlever la feuille de laurier et passer la soupe au mélangeur à main. Rectifier l'assaisonnement et servir chaud.

# Potage de patates douces
## Donne 4 portions

INGRÉDIENTS

    2 c. à soupe d'huile d'olive
    1 oignon haché
    2 patates douces pelées, en cubes
    1 pomme de terre pelée, en cubes
    1/2 chou-fleur en bouquets
    2 1/2 tasses de bouillon de légumes
    1 c. à thé de poudre de cari
    Poivre au goût

PRÉPARATION

Dans un grand chaudron, chauffer l'huile et y dorer l'oignon. Ajouter les patates douces, la pomme de terre et le chou-fleur, puis laisser cuire quelques minutes. Verser le bouillon de légumes. Ajuster la quantité pour couvrir les légumes. Assaisonner de cari et de poivre, couvrir et laisser cuire jusqu'à ce que les légumes soient bien tendres. À l'aide d'un mélangeur à main, transformer le tout en crème onctueuse. Rectifier l'assaisonnement et servir chaud.

SAVIEZ-VOUS QUE ?
Pour ce genre de soupe, le mélangeur à main est très utile. Toutefois, avouons que cet engin peut donner de très mauvais résultats lorsqu'on veut faire des purées de pommes de terre. Dans ce cas, on peut tout simplement employer le traditionnel pilon.

# Soupe à la betterave
## Donne 4 portions

### INGRÉDIENTS

3 c. à soupe d'eau
1 oignon émincé
2 pommes de terre moyennes, en dés
1 pomme rouge, en dés
1 c. à soupe de cumin moulu
5 betteraves moyennes, en cubes
1 feuille de laurier
1 c. à thé de thym
1 c. à soupe de jus de citron
2 1/2 tasses de bouillon de légumes
Sel et poivre au goût

### PRÉPARATION

Dans un grand chaudron, verser l'eau et faire bouillir pendant 10 minutes l'oignon, les pommes de terre et la pomme. Baisser le feu et saupoudrer le cumin. Ajouter les betteraves, la feuille de laurier, le thym, le jus de citron et le bouillon de légumes. Couvrir et laisser mijoter à feu moyen-vif pendant 10 minutes. Retirer le couvercle, assaisonner et laisser refroidir 5 minutes. Enlever la feuille de laurier. À l'aide d'un mélangeur à main, réduire le bouillon et les légumes en purée. Réchauffer avant de servir. Décorer de feuilles d'aneth si désiré.

SAVIEZ-VOUS QUE ?
Cette soupe à la betterave peut être considérée comme une variante plus simple du bortsch.

# Soupe à la citrouille
## Donne 4 portions

INGRÉDIENTS

2 c. à soupe de margarine
1 oignon, en dés
1 gousse d'ail émincée
1 1/2 lb de citrouille, en cubes
2 1/3 tasses de bouillon de légumes
Sel et poivre au goût
1/2 c. à thé de gingembre moulu
Jus de 1 citron
1/2 c. à thé de zeste d'orange
1 feuille de laurier
1 1/4 tasse de lait de soja nature
Ciboulette hachée

PRÉPARATION

Dans un grand chaudron, faire fondre la margarine et y laisser frémir l'oignon et l'ail. Ajouter les cubes de citrouille et laisser cuire 3 minutes à feu moyen. Verser le bouillon et porter à ébullition doucement, à feu moyen-vif. Saler, poivrer, ajouter le gingembre, le jus de citron, le zeste d'orange et la feuille de laurier. Couvrir et laisser mijoter à feu doux pendant 20 minutes. Retirer la feuille de laurier, laisser tiédir quelques minutes à découvert, puis réduire en crème avec un mélangeur à main. Verser le lait de soja et chauffer de nouveau à feu moyen-doux. Décorer de ciboulette et servir chaud.

# Soupe à la laitue
Donne 4 à 6 portions

## INGRÉDIENTS

1 c. à soupe d'huile d'olive
1 c. à soupe de beurre
1 oignon coupé en
petits morceaux
1 grosse laitue coupée
en feuilles
3 pommes de terre coupées
en dés
1/2 tasse de céleri haché
8 tasses de bouillon de légumes
1 c. à soupe de ciboulette
Sel et poivre au goût

## PRÉPARATION

Chauffer l'huile d'olive et le beurre dans une casserole. Y faire revenir les oignons à feu doux. Ajouter les autres légumes et bien mélanger. Poursuivre la cuisson quelques minutes. Verser le bouillon de légumes. Assaisonner de sel et de poivre au goût. Laisser mijoter à feu doux pendant 30 minutes ou jusqu'à ce que les légumes soient bien cuits. Servir en garnissant de ciboulette.

# Soupe à l'orge
Donne 4 portions

## INGRÉDIENTS

2 c. à soupe d'huile d'olive

1 oignon haché

1 tasse de navet, en cubes

3 carottes, en dés

1 c. à thé de thym

6 tasses de bouillon de légumes

1/2 tasse d'orge mondé

Sauce soya ou tamari

Sel et poivre au goût

## PRÉPARATION

Faire chauffer l'huile et y dorer l'oignon. Ajouter le navet et les carottes et laisser cuire 3 minutes à feu moyen. Saupoudrer de thym, puis verser le bouillon de légumes. Amener à ébullition et ajouter l'orge. Faire cuire 1 heure avant d'assaisonner de sauce soya ou tamari, de sel et de poivre.

# Soupe à l'orientale
Donne 4 portions

## INGRÉDIENTS

1 c. à soupe de margarine

1 gousse d'ail émincée

1 1/2 tasse de champignons tranchés

6 tasses de bouillon de légumes

2 tasses de nouilles chinoises

1 c. à soupe de jus de citron

1 tasse de bouquets de brocoli

3 c. à soupe de sauce soya ou tamari

1/2 tasse d'oignons verts hachés

1 c. à soupe de coriandre

1 morceau de racine de gingembre frais

## PRÉPARATION

Dans un chaudron, faire fondre la margarine et y laisser dorer l'ail. Faire revenir les champignons, puis verser le bouillon de légumes. Porter à ébullition et ajouter les nouilles avec le jus de citron et le brocoli. Arroser de sauce soya ou tamari, réduire le feu et laisser mijoter quelques minutes. Ajouter les oignons verts, la coriandre et le gingembre, qu'on laissera le temps voulu (plus le gingembre reste longtemps, plus le goût sera prononcé). Retirer la racine de gingembre avant de servir.

# Soupe au chou
## Donne 4 portions

## INGRÉDIENTS

  1 c. à soupe d'huile d'olive
  2 c. à soupe de beurre
  3 oignons hachés finement
  1/2 tasse de carottes coupées en rondelles
  6 tasses de chou râpé
  1/2 tasse de céleri haché
  6 tasses de bouillon de légumes
  Sel et poivre au goût
  Persil

## PRÉPARATION

Faire chauffer le beurre et l'huile d'olive et y faire revenir l'oignon. Verser dans la casserole le bouillon de légumes. Ajouter les autres légumes et porter à ébullition. Baisser le feu. Assaisonner au goût de sel et de poivre. Laisser mijoter à feu doux pendant une heure ou jusqu'à ce que les légumes soient bien cuits. Servir avec une garniture de persil frais.

### SAVIEZ-VOUS QUE ?
Vous pouvez ajouter du lait dans les dernières minutes de la cuisson pour obtenir une soupe plus onctueuse.

# Soupe au chou-fleur et au cari

Donne 6 portions

## INGRÉDIENTS

- 2 c. à soupe d'huile d'olive
- 1 petit oignon haché
- 1 pomme pelée, évidée et grossièrement hachée
- 1 c. à soupe de poudre de cari
- 1 gousse d'ail tranchée
- 1 gros chou-fleur haché, en morceaux de 2,5 cm
- 4 tasses de bouillon de légumes pauvre en sodium
- 1 c. à thé de miel ou de nectar d'agave
- 1 c. à thé de vinaigre de riz

## PRÉPARATION

Réchauffer l'huile dans une grande casserole à feu moyen-élevé. Ajouter l'oignon et faire revenir de 5 à 7 minutes ou jusqu'à ce qu'il soit tendre et doré. Incorporer la pomme, la poudre de cari et l'ail et cuire 2 minutes de plus ou jusqu'à ce que la poudre de cari devienne jaune foncé. Ajouter le chou-fleur et le bouillon de légumes et laisser mijoter. Couvrir, diminuer la chaleur et laisser mijoter 20 minutes à feu moyen-doux.

Laisser refroidir 20 minutes et mettre dans un robot culinaire ou un mélangeur jusqu'à l'obtention d'une substance lisse. Incorporer le miel et le vinaigre et assaisonner de sel, si désiré.

# Soupe aux tomates
### Donne 4 portions

## INGRÉDIENTS

1 c. à soupe d'huile d'olive

3 gousses d'ail émincées

2 branches de céleri hachées

1 boîte de tomates étuvées, égouttées et coupées en morceaux

1 c. à thé de sucre

1 c. à soupe de basilic frais, haché

3 tasses de bouillon de légumes

Sel et poivre au goût

## PRÉPARATION

Chauffer l'huile dans une casserole et faire revenir l'ail et le céleri à feu doux. Ajouter les tomates étuvées et le sucre, et bien mélanger. Poursuivre la cuisson pendant 5 minutes. Assaisonner au goût de sel et de poivre. Ajouter le basilic frais. Verser le bouillon de légumes et porter à ébullition. Baisser le feu et laisser mijoter 10 minutes. Servir bien chaud.

### SAVIEZ-VOUS QUE ?
Il faut savoir bien doser le sel, car la base de bouillon de légumes et les tomates en boîte en contiennent déjà.

# Soupe aux gourganes
### Donne 6 à 8 portions

## INGRÉDIENTS

1 c. à soupe d'huile d'olive
1 c. à soupe de beurre
4 oignons verts hachés
1/2 tasse de céleri haché
4 tasses de gourganes
4 tasses d'eau
4 tasses de bouillon de légumes
1/4 tasse de riz
Sel et poivre

## PRÉPARATION

Chauffer l'huile d'olive et le beurre à feu doux. Faire revenir les oignons verts et le céleri quelques minutes. Ajouter l'eau et le bouillon de légumes. Porter à ébullition. Ajouter les gourganes et le riz, et baisser le feu. Assaisonner au goût, de sel et de poivre. Laisser mijoter pendant 2 heures.

SAVIEZ-VOUS QUE ?
Vous pouvez remplacer le riz par de l'orge perlé.

67

# Soupe aux haricots noirs et à la salsa
### Donne 4 portions

## INGRÉDIENTS

2 boîtes (425 g) de haricots noirs rincés et égouttés
1 1/2 tasse de bouillon de légumes
1 tasse de salsa épaisse
1 c. à thé de cumin moulu
4 c. à soupe de crème sure
2 c. à soupe d'oignon vert finement tranché

## PRÉPARATION

Dans un robot culinaire ou un mélangeur, combiner les haricots, le bouillon, la salsa et le cumin. Mélanger jusqu'à ce que le mélange soit modérément lisse. Réchauffer le mélange de haricots dans une casserole à feu moyen, jusqu'à ce qu'il soit bien chaud. Verser la soupe dans 4 bols individuels et napper de 1 c. à soupe de crème sure et de 1/2 c. à soupe d'oignon vert.

# Soupe aux haricots rouges

Donne environ 4 portions

## INGRÉDIENTS

1 tasse de haricots rouges secs

3 c. à soupe d'huile d'olive

2 gousses d'ail

1 oignon

2 carottes pelées, en dés

1 poireau émincé

2 branches de céleri, en dés

1 feuille de laurier

Sel et poivre au goût

8 tasses de bouillon de légumes

2 tomates, en dés

2 pommes de terre pelées, en dés

2 courgettes tranchées

3/4 tasse de pâtes pour la soupe (macaroni, alphabet, etc.)

1 c. à thé de basilic séché

1 c. à thé de sauge séchée

## PRÉPARATION

Faire tremper les haricots au moins 1 heure. Dans un grand chaudron, chauffer l'huile et y dorer l'ail et l'oignon. Ajouter les haricots rincés, les carottes, le poireau, le céleri et la feuille de laurier. Saler et poivrer. Verser le bouillon de légumes et porter à ébullition. Réduire le feu et ajouter les tomates, les pommes de terre, les courgettes et les pâtes. Couvrir et laisser cuire pendant 1 heure. Battre au mélangeur à main en incorporant le basilic et la sauge. Ajouter de l'eau ou du bouillon si la soupe est trop épaisse. Servir chaud.

# Soupe aux légumineuses
## Donne 6 à 8 portions

INGRÉDIENTS

8 tasses d'eau
1 tasse de fèves blanches
1 tasse de fèves de Lima
1 tasse de fèves rouges
2 c. à soupe d'huile d'olive
2 oignons hachés finement
8 tasses de bouillon de légumes
1/2 tasse de carottes coupées en rondelles
1/2 tasse de céleri haché
4 tomates (en boîte) étuvées
et coupées en quartiers
Sel et poivre au goût
1 feuille de laurier
Persil

PRÉPARATION

Faire tremper les fèves dans un bol pendant 6 heures. Chauffer l'huile à feu doux et y faire revenir les oignons pendant quelques minutes. Ajouter le bouillon de légumes dans la casserole, les carottes et le céleri. Porter à ébullition. Baisser le feu. Ajouter les 3 tasses de fèves. Assaisonner de sel et de poivre au goût. Ajouter la feuille de laurier. Couvrir et poursuivre la cuisson à feu doux pendant 1 heure. Ajouter les tomates étuvées et poursuivre la cuisson à découvert pendant 15 minutes. Servir avec du persil en garniture.

# Soupe d'artichauts

Donne 4 portions

## INGRÉDIENTS

6 c. à soupe d'huile d'olive
1 oignon haché
3 gousses d'ail émincées
2 tasses de cœurs d'artichauts, en dés
2 1/2 tasses de bouillon de légumes
2 c. à thé de persil séché
1/2 c. à thé de thym séché
1/2 c. à thé d'origan séché
1 c. à soupe de farine de blé entier
1/2 tasse d'eau
Sel et poivre au goût

## PRÉPARATION

Faire chauffer l'huile dans un grand chaudron et y dorer l'oignon et l'ail. Ajouter les artichauts, le bouillon de légumes et les fines herbes. Amener à ébullition, couvrir et laisser mijoter à feu doux environ 30 minutes. Dans un petit bol, délayer la farine avec l'eau et ajouter ce mélange à la soupe chaude. Augmenter le feu et poursuivre la cuisson 15 minutes. Servir chaud une fois que le bouillon a épaissi.

# Soupe de concombres
## Donne 4 à 6 portions

### INGRÉDIENTS

6 tasses de bouillon de légumes
3 concombres tranchés en rondelles coupées en deux
1 poivron coupé en dés
1/2 tasse d'oignons verts hachés
Quelques gouttes de sauce Worcestershire
1/2 c. à thé de basilic séché
1/2 c. à thé d'origan
Sel et poivre au goût

### PRÉPARATION

Verser le bouillon de légumes dans une casserole. Ajouter les légumes et porter à ébullition. Assaisonner avec le basilic, l'origan, le sel et le poivre. Ajouter quelques gouttes de sauce Worcestershire. Laisser mijoter 30 minutes ou jusqu'à ce que les légumes soient bien cuits.

### SAVIEZ-VOUS QUE ?

La moutarde se marie bien avec le concombre. Vous pouvez en ajouter 1 c. à thé vers la fin de la cuisson.

# Soupe de légumes au tofu
### Donne 4 portions

## INGRÉDIENTS

1 c. à soupe de beurre
1 petit oignon, en dés
1 gousse d'ail hachée
1 carotte, en dés
1 branche de céleri, en dés (feuilles de céleri, au goût)
1 poireau, en dés
1 pomme de terre, en dés
1/2 tasse de navet, en dés
1 tasse de tofu, en dés
4 tasses de bouillon de légumes
1 boîte de tomates, en dés, et leur jus
1/4 de tasse de persil frais, haché
1 feuille de laurier
1 pincée de basilic séché
1 pincée d'origan séché
1 c. à soupe de sauce Worcestershire
Sel et poivre au goût

## PRÉPARATION

Dans une casserole, faire revenir l'oignon et l'ail à feu doux dans le beurre jusqu'à ce qu'ils soient tendres. Ajouter la carotte, le céleri et ses feuilles, le poireau, la pomme de terre, le navet, le tofu, le bouillon, les tomates et leur jus, le persil, le laurier, le basilic, l'origan et la sauce Worcestershire. Amener à ébullition, réduire la chaleur et laisser mijoter jusqu'à ce que les légumes soient tendres. Saler et poivrer au besoin. Accompagner de pain ou de craquelins.

# Soupe de tofu au riz

Donne 4 portions

## INGRÉDIENTS

4 tasses de bouillon de légumes
1 poivron rouge, en dés
1 tasse de tofu, en dés
3/4 de tasse de riz cuit
1/4 de tasse de persil frais, haché
1/2 tasse de champignons émincés
1 échalote émincée
Sauce soya

## PRÉPARATION

Dans une casserole, amener le bouillon de légumes à ébullition. Ajouter le poivron rouge, réduire la chaleur et laisser mijoter quelques minutes. Ajouter le tofu, le riz et le persil. Au moment de servir, verser une larme de sauce soya dans chaque bol.

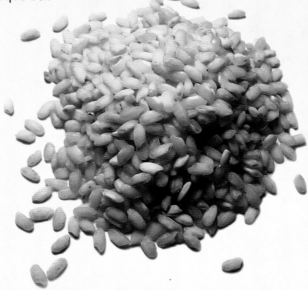

# Soupe hivernale
## Donne 4 portions

### INGRÉDIENTS

2 c. à soupe d'huile d'olive
2 poireaux émincés
2 courgettes, en dés
2 gousses d'ail émincées
6 tomates mûres, en dés, avec leur jus
2/3 tasse de pâte de tomates
1 feuille de laurier
3 1/2 tasses de bouillon de légumes
1 1/2 tasse de haricots rouges cuits
1 tasse d'épinards hachés
Sel et poivre au goût

### PRÉPARATION

Dans un grand chaudron, faire chauffer l'huile et y dorer les poireaux, les courgettes et l'ail. Ajouter les tomates, la pâte de tomates, la feuille de laurier, le bouillon de légumes et les haricots. Amener à ébullition, réduire le feu, couvrir et laisser mijoter 5 minutes. Ajouter les épinards et assaisonner. Retirer la feuille de laurier. Servir chaud avec des croûtons.

# Soupe orientale au tofu
### Donne 4 portions

## INGRÉDIENTS

Nouilles asiatiques (de riz, ramen, etc.)
4 tasses de bouillon de légumes
1 carotte, en dés
1 branche de céleri, en tranches
1/2 tasse de fèves germées
1/2 tasse de pois mange-tout
1/2 tasse de champignons émincés
1/2 tasse de tofu, en dés
1 échalote émincée

## PRÉPARATION

Faire cuire les nouilles dans de l'eau bouillante et les répartir dans les bols. Dans une casserole, amener le bouillon de légumes à ébullition. Réduire la chaleur et y plonger la carotte, le céleri, les fèves germées, les pois mange-tout, les champignons et le tofu. Laisser mijoter jusqu'à ce que les légumes soient *al dente*.
Verser la soupe sur les nouilles. Garnir d'échalotes.

# Velouté froid
# au concombre
Donne 2 à 4 portions

## INGRÉDIENTS

1 gros concombre anglais
2 tasses de yogourt nature
1 tasse de crème 15 % M.G.
1 c. à soupe de menthe fraîche, finement hachée
Feuilles de menthe
Sel et poivre au goût

## PRÉPARATION

Peler et râper le concombre. Dans un grand bol, verser le yogourt et la crème. Ajouter la menthe et le concombre râpé, et bien mélanger. Laisser reposer au frigo afin que les saveurs se marient. Saler et poivrer au besoin. Servir dans des bols bien froids et garnir de feuilles de menthe.

# Velouté de panais au cari
Donne 4 portions

## INGRÉDIENTS

2 c. à soupe d'huile d'olive

1 oignon rouge haché

3 panais, en dés

2 gousses d'ail émincées

2 c. à thé de cardamome

2 c. à thé de clou de girofle moulu

2 c. à thé de cannelle moulue

1/2 c. à thé de piment de Cayenne

1 c. à soupe de farine de blé entier

4 tasses de bouillon de légumes

Zeste et jus de 1 citron

Sel et poivre au goût

## PRÉPARATION

Dans un grand chaudron, chauffer l'huile et y faire revenir l'oignon, les panais et l'ail environ 5 minutes. Ajouter la cardamome, le clou de girofle, la cannelle et le piment de Cayenne. Bien mélanger, puis saupoudrer de farine. Mélanger vigoureusement en versant le bouillon de légumes, le jus et la moitié du zeste de citron. Amener à ébullition, assaisonner puis réduire le feu et laisser mijoter à découvert 20 minutes. À l'aide d'une cuillère trouée, réserver une petite partie des légumes cuits (ils serviront pour la décoration). Réduire le reste des légumes et le bouillon en velouté avec un mélangeur à main. Servir chaud en décorant avec les légumes réservés et le zeste de citron restant.

# Velouté de poivrons
### Donne 2 à 4 portions

## INGRÉDIENTS

2 c. à soupe de beurre
1 gousse d'ail finement hachée
6 tasses de poivrons rouges, jaunes et oranges, en dés
Zeste d'une orange
Jus de deux oranges
Sel et poivre au goût
Persil frais, finement haché, au goût

## PRÉPARATION

Dans une casserole, faire revenir l'ail et les poivrons à feu doux dans le beurre jusqu'à ce qu'ils soient très tendres. Ajouter le zeste d'orange et le jus d'orange. Passer au mélangeur. Remettre dans la casserole. Saler et poivrer au besoin. Au moment de servir, décorer de persil frais.

# Chapitre III

# Les pizzas

On est bien loin de la pizza commerciale, remplie de gras trans et d'aliments de plus ou moins bonne qualité. Dans les pizzas que voici, on trouve tout ce qu'il faut pour manger un repas santé qui plaira tant aux enfants qu'aux parents.

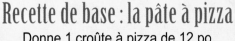

# Recette de base : la pâte à pizza
## Donne 1 croûte à pizza de 12 po

## INGRÉDIENTS

3/4 c. à thé (1/2 sachet) de levure

2 c. à soupe d'eau chaude

1 c. à thé de sucre

2 tasses de farine de blé entier à pâtisserie

1 c. à thé de sel de mer fin

1/2 tasse d'eau

1 c. à soupe d'huile d'olive

## PRÉPARATION

Activer la levure en la versant dans l'eau chaude. Ajouter le sucre et laisser doubler de volume environ 10 minutes. Déposer la farine et le sel dans un grand bol opaque. Creuser un puits et y verser la levure. Mélanger puis ajouter l'eau petit à petit. Façonner une boule ferme. Placer dans le bol, couvrir d'un linge propre et laisser gonfler au moins 2 heures. Une fois la pâte prête, l'aplatir, en y ajoutant un peu d'huile d'olive. Garnir et cuire une quinzaine de minutes ou jusqu'à belle apparence dorée.

> **SAVIEZ-VOUS QUE ?**
> Cette pâte servira à plusieurs recettes dans ce livre. Si on a mis trop d'eau dans la préparation de la pâte, ajouter un peu de farine.

# Recette de base : la sauce à pizza maison
### Donne environ 2 tasses

## INGRÉDIENTS

3 tasses de tomates bien mûres, avec leur jus

1 c. à soupe d'huile d'olive

1 oignon haché

1 gousse d'ail émincée

1/2 c. à thé de basilic frais, haché

1/2 c. à thé d'origan frais, haché

1 pincée de cassonade

1/4 c. à thé de piment de Cayenne (facultatif)

1/4 c. à thé de piments broyés (facultatif)

Sel et poivre au goût

## PRÉPARATION

Passer les tomates au mélangeur afin d'obtenir une purée lisse. Verser l'huile dans un chaudron et y dorer l'oignon et l'ail quelques secondes. Ajouter le reste des ingrédients et laisser mijoter à feu doux environ 30 minutes, le temps de laisser réduire la sauce. Rectifier l'assaisonnement.

### SAVIEZ-VOUS QUE ?
Utiliser le piment de Cayenne ou les piments broyés seulement si on désire une sauce épicée.

# Mini-pizzas aux pêches et au pesto
Donne 8 portions

## INGRÉDIENTS

1 gousse d'ail

1 tasse de basilic frais

1/2 tasse de pacanes

1/2 tasse d'huile d'olive extra vierge (et un peu plus pour arroser)

1/4 de tasse de parmesan râpé

2 c. à thé de vinaigre de vin rouge

Sel et poivre

1 tube de pâte à pizza réfrigérée

2 tomates coupées en tranches

2 petites pêches coupées en tranches

## PRÉPARATION

Broyer l'ail dans un robot culinaire. Ajouter 1/2 tasse de basilic, les pacanes, l'huile d'olive, le parmesan, le vinaigre, le sel, le poivre. Préchauffer le four à 400 °F. Étaler la pâte à pizza sur une surface farinée pour former un carré. Couper en 8 carrés et percer chacun d'eux plusieurs fois à l'aide d'une fourchette. Placer sur une plaque à biscuits légèrement farinée et badigeonner d'huile d'olive. Faire cuire jusqu'à ce que le tout soit doré (12 minutes). Laisser refroidir. Étendre 1 c. à thé de pesto sur chaque carré et recouvrir complètement de tranches de tomates et de pêches. Couper le reste du basilic en bandes très minces et saupoudrer sur la pizza. Assaisonner de sel.

# Pizza à croûte mince à la ricotta et aux champignons
## Donne 4 portions

### INGRÉDIENTS

2 c. à thé d'huile d'olive (un
surplus pour les plaques)
2 tortillas au blé entier pour
sandwichs roulés
1 tasse de fromage asiago râpé
2/3 de tasse de ricotta
partiellement écrémée
1 paquet de champignons
blancs parés et
tranchés finement
1 petit oignon rouge coupé
en 2 et finement tranché
Gros sel et poivre moulu

### PRÉPARATION

Préchauffer le four à 450 °F en plaçant une grille en bas et une autre en haut du four. Couvrir deux plaques à biscuits avec bordure d'huile d'olive ou brosser du papier ciré avec de l'huile d'olive pour un nettoyage plus rapide. Déposer une tortilla sur chaque plaque et badigeonner avec 1 c. à thé d'huile.Garnir

85

les tortillas avec du fromage asiago et une cuillerée de ricotta. Ajouter des champignons et de l'oignon, et assaisonner de sel et de poivre. Faire cuire les pizzas jusqu'à ce que la croûte soit croustillante et bien dorée en faisant une rotation entre la grille du haut et celle du bas et en faisant tourner deux fois la pizza sur elle-même au cours de la cuisson (20 à 25 minutes). Couper en deux avec un couteau à pizza et servir une moitié par personne.

# Pizza à la simili-viande
### Donne 4 portions

## INGRÉDIENTS

1/3 tasse de sauce à pizza maison
1 pâte à pizza
1 tasse de simili-viande hachée végétarienne
1/2 poivron vert, en dés
1/2 oignon rouge, en dés
5 champignons blancs, en lanières
1 c. à thé de basilic frais, haché
1 c. à thé d'origan frais, haché
Sel et poivre

## PRÉPARATION

Étaler la sauce sur la pâte à pizza. Couvrir uniformément de simili-viande. Ajouter le poivron, l'oignon rouge, les champignons et les fines herbes. Assaisonner et cuire au four à 400 °F 20 minutes ou jusqu'à ce que la croûte soit croustillante.

### SAVIEZ-VOUS QUE ?

On peut trouver à l'épicerie des produits végétariens qui remplaceront le fromage, si on veut faire gratiner la pizza. Par ailleurs, ajouter simplement des tranches de fromage bocconcini à cette pizza est délicieux.

On trouve d'excellents produits végétariens, habituellement situé dans la section des légumes de votre supermarché.

# Pizza aux oignons rouges
## Donne 4 portions

INGRÉDIENTS

> 2 c. à soupe d'huile d'olive
> 2 oignons rouges, en lanières
> 1/2 tasse d'olives noires, en rondelles
> 4 tomates italiennes, en rondelles
> Sel et poivre au goût
> 3 c. à soupe de basilic frais, haché
> 1 pâte à pizza

PRÉPARATION

Dans une poêle, chauffer l'huile et y faire revenir les oignons au moins 5 minutes. Ajouter les olives noires, mélanger, puis déposer sur les oignons et les olives les tranches de tomates. Laisser cuire 2 minutes. Assaisonner et saupoudrer de basilic. Étendre le mélange sur la pâte à pizza, et cuire au four à 400 °F 20 minutes ou plus.

SAVIEZ-VOUS QUE ?
Cette pizza s'accompagne à merveille de quelques morceaux de fromage feta.

# Pizza froide aux légumes

Donne 8 portions

## INGRÉDIENTS

1 paquet de pâte à croissants réfrigérée

1/2 tasse de crème sure

1/2 paquet de fromage à la crème ramolli

1/2 c. à thé d'aneth séché

1 pincée de sel d'ail

1/2 sachet de mélange pour sauce ranch pour salade

1/2 petit oignon finement haché

1 branche de céleri finement haché

1/4 tasse de radis coupés en deux et finement tranchés

1/2 poivron rouge finement haché

3/4 tasse de brocoli frais haché

1 carotte râpée

## PRÉPARATION

Préchauffer le four à 350 °F. Vaporiser une plaque à biscuits avec de l'aérosol de cuisson. Étaler uniformément la pâte à croissants sur la plaque à biscuits. Laisser reposer 5 minutes puis percer la pâte avec une fourchette. Faire cuire pendant 10 minutes et laisser refroidir. Mélanger la crème sure, le fromage à la crème, l'aneth, le sel d'ail et le mélange pour sauce à salade dans un bol. Étaler le mélange sur la pâte et couvrir le tout d'oignon, de carotte, de céleri, de brocoli, de radis et de poivron. Couvrir et réfrigérer puis couper en carrés et servir.

# Pizza Margherita
### Donne 2 pizzas

## INGRÉDIENTS

### POUR LA PÂTE
300 g de farine
1 c. à thé de levure instantanée (sachet ou pot)
1 c. à thé de sel
1 c. à soupe d'huile d'olive (et un peu plus pour arroser)
3/4 tasse d'eau chaude

### POUR LA SAUCE TOMATE
1/2 tasse de passata
1 poignée de basilic frais (ou 1 c. à t. de basilic séché)
1 gousse d'ail broyée

### POUR LA GARNITURE
125 g de mozzarella coupée en tranches
1 poignée de parmesan râpé
1 poignée de tomates cerises coupées en deux
1 poignée de feuilles de basilic (facultatif)

## PRÉPARATION

### POUR LA PÂTE
Déposer la farine dans un grand bol puis mélanger avec la levure et le sel. Former un trou au centre avant d'y verser 200 ml d'eau chaude et l'huile d'olive puis mélanger le tout avec une cuillère en bois jusqu'à l'obtention

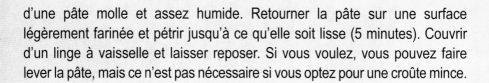

d'une pâte molle et assez humide. Retourner la pâte sur une surface légèrement farinée et pétrir jusqu'à ce qu'elle soit lisse (5 minutes). Couvrir d'un linge à vaisselle et laisser reposer. Si vous voulez, vous pouvez faire lever la pâte, mais ce n'est pas nécessaire si vous optez pour une croûte mince.

## POUR LA SAUCE TOMATE

Mélanger la passata, le basilic et l'ail broyé puis assaisonner au goût. Laisser reposer à température ambiante pendant que vous terminez de malaxer la pâte. Si vous laissez la pâte lever, pétrir rapidement et diviser en deux boules. À l'aide d'un rouleau à pâte, étaler la pâte sur une surface farinée pour former 2 grands cercles d'environ 25 cm de largeur. La pâte doit être très mince puisqu'elle gonflera au four. Déposer les 2 cercles sur des plaques à biscuits farinées. Préchauffer le four à 475 °F. Déposer une autre plaque à biscuits ou un plateau retourné sur la grille la plus élevée du four. Étendre la sauce sur la surface de la pizza avec le dos d'une cuillère.

## POUR LA GARNITURE

Garnir de fromage et de tomates, arroser d'huile d'olive et assaisonner. Déposer une pizza reposant sur une plaque à biscuits sur la plaque ou le plateau préchauffé au four. Faire cuire jusqu'à ce qu'elle soit croustillante (8 à 10 minutes). Servir avec un peu plus d'huile d'olive et des feuilles de basilic, si désiré. Répéter l'opération pour la pizza qui reste.

# Pizzas roulées avec salade de tomates et basilic
### Donne 8 portions

## INGRÉDIENTS

1 sachet de levure sèche active

2 1/2 à 3 tasses de farine (tout usage)

2 c. à thé de sel

1 oignon pelé et finement tranché

3 c. à soupe d'huile d'olive extra vierge

1 tête de chicorée rincée et finement tranchée

3/4 de tasse de vin rouge sec

2 tasses de fromage mozzarella régulier (ou fumé) râpé

6 tasses de tomates mûres coupées en dés

1 tasse de feuilles de basilic frais haché

2 c. à soupe d'ail haché

Sel et poivre au goût

## PRÉPARATION

### POUR LA PÂTE

Verser la levure dans 1 tasse d'eau chaude. Laisser reposer jusqu'à ce qu'elle ramollisse (5 minutes). Ajouter 2 1/2 tasses de farine et le sel et battre à basse vitesse jusqu'à ce le tout soit bien incorporé puis à vitesse moyenne à élevée jusqu'à ce que la pâte soit élastique (3 minutes). Ajouter de la farine (1 c. à soupe à la fois) si la pâte est encore collante. Si vous pétrissez la pâte à la main, déposer la pâte sur une surface farinée puis pétrir jusqu'à ce que la pâte soit lisse et élastique et qu'elle ne soit plus collante (10 minutes). Ajouter de la farine au besoin pour éviter qu'elle colle. Séparer la pâte en 2 et faire 2 boules. Poser sur une surface légèrement farinée dans un endroit chaud et couvrir de pellicule plastique. Laisser lever la pâte jusqu'à ce qu'elle ait doublé de volume (45 à 60 minutes). Frapper chaque boule de pâte pour la faire dégonfler et presser pour faire sortir l'air. Étaler les boules de pâte sur une surface farinée à l'aide d'un rouleau à pâte fariné pour former 2 galettes de pâte de 25 cm.

## POUR LA GARNITURE

Verser 1 c. à soupe d'huile d'olive dans une poêle à frire et faire cuire l'oignon à feu moyen-fort jusqu'à ce qu'il soit tendre et commence à dorer (3 à 5 minutes). Ajouter la chicorée et faire cuire jusqu'à ce qu'elle soit dorée et tendre (5 à 7 minutes). Verser le vin et laisser cuire le tout en remuant de temps à autre jusqu'à ce que le vin s'évapore (10 à 12 minutes). Assaisonner de sel et de poivre et laisser refroidir pendant au moins 20 minutes.

Saupoudrer la moitié du fromage sur la moitié de chaque galette en laissant une bordure de 2,5 cm. Couvrir du mélange de chicorée. Rabattre la partie non garnie de chaque pâte sur la garniture en alignant les bordures. Pincer la bordure pour refermer. Rouler et fermer chaque pizza dans le sens de la longueur. Pincer ensemble les extrémités du rouleau pour refermer. Déposer les rouleaux de pizza sur une plaque à biscuits en posant la bordure vers le bas puis former 2 demi-couronnes avec chaque rouleau en les espaçant d'au moins 8 cm. Faire cuire à 425 °F jusqu'à ce que les rouleaux soient dorés (25 à 30 minutes). Pendant ce temps, faire la salade en mélangeant les tomates, le basilic, l'ail et le reste de l'huile d'olive dans un bol. Assaisonner de sel et de poivre. À l'aide de 2 grandes spatules, transférer chaque demi-couronne sur une assiette en joignant les extrémités pour former une couronne complète. À l'aide d'une cuillère à égoutter, verser environ 2 tasses de salade aux tomates et au basilic au centre de la couronne et le reste de la salade dans un bol.

# Pizza végétarienne toute garnie
### Donne 4 portions

## INGRÉDIENTS

1 grand pain pita ou 1 pâte à pizza
1 à 2 c. à soupe d'huile d'olive
3 ou 4 gousses d'ail émincées
1 tomate, en fines tranches
2 c. à thé de basilic
2 c. à thé d'origan
1/2 tasse d'oignon haché
1 tasse de champignons, en dés
1 tasse de cheddar fort
1/4 tasse de poivron rouge, en dés

## PRÉPARATION

Sur le pain pita ou la pâte, badigeonner l'huile d'olive et disperser l'ail. Distribuer uniformément les rondelles de tomate et saupoudrer les fines herbes. Parsemer d'oignon, puis couvrir de champignons et de fromage. Ajouter les dés de poivron rouge en dernier lieu.

SAVIEZ-VOUS QUE ?

Comme il y a beaucoup de légumes sur la pâte, il y aura un surplus de liquide en cours de la cuisson. Pour éviter que la pâte devienne trop molle, faire revenir les champignons quelques minutes avant de les mettre sur la pizza. On peut aussi enlever un peu d'eau des tomates en les salant légèrement puis en les plaçant sur un essuie-tout quelques minutes. Si on utilise la pâte à pizza maison, la faire cuire légèrement avant d'y ajouter les autres ingrédients.

VARIANTES

Mélanger un fromage havarti aux légumes et de la mozzarella. Un délice ! On peut bien entendu ajouter quelques olives noires et des cœurs d'artichauts à cette succulente pizza. Ou alors, simplifier le tout en enfournant la pâte sur laquelle ont été déposés l'huile, l'ail, les tomates, les épices et un peu de fromage. La pizza peut alors être découpée et servie en entrée.

# Quiche au brocoli

Donne 4 portions

## INGRÉDIENTS

3 c. à soupe de beurre

1 oignon finement haché

1 c. à thé d'ail haché

2 tasses de brocoli frais haché

1 croûte de tarte non cuite

1 1/2 tasse de fromage mozzarella râpé

4 œufs battus

1 1/2 tasse de lait

1 c. à thé de sel

1/2 c. à thé de poivre noir

## PRÉPARATION

Préchauffer le four à 350 °F. Faire fondre le beurre à feu moyen-doux dans une grande casserole. Ajouter l'oignon, l'ail et le brocoli. Faire cuire lentement en remuant de temps à autre jusqu'à ce que les légumes soient tendres. Verser les légumes sur la croûte et recouvrir de fromage. Combiner les œufs et le lait. Assaisonner de sel et de poivre. Incorporer le beurre fondu, et verser le mélange d'œufs sur les légumes et le fromage. Faire cuire au four jusqu'à ce que le centre soit cuit (30 minutes).

# Roulés à la saucisse
## Donne 16 bouchées

### INGRÉDIENTS
>1 pâte à pizza
>8 saucisses au tofu
>Sauce au choix

### PRÉPARATION
Étaler la pâte à pizza en formant un grand carré. L'amincir le plus possible à l'aide, si nécessaire, d'un rouleau à pâtisserie. Couper 4 languettes de large et recouper ces languettes en 4, ce qui donne 16 morceaux. Couper les saucisses au tofu en 2. Déposer chaque bout sur un morceau de pâte et rouler. Enfourner à 350 °F pendant 15 minutes, en retournant à mi-cuisson. Servir chaud avec une sauce au choix ou la sauce à pizza maison.

# Chapitre IV

## Les pâtes

Une façon très simple et nourrissante de manger végétarien consiste à consommer des pâtes. Chaque sorte contient environ 5 g de protéines par 100 grammes, ce qui signifie qu'on doit néanmoins combler les besoins en protéines (15 g par repas au moins) avec une sauce préparée en conséquence, car un régime équilibré compte de 40 à 80 g de protéines par jour, selon les constitutions. Voici quelques exemples de repas à base de pâtes.

# Agnolotti farcis au fromage bleu
## Donne 4 portions

## INGRÉDIENTS

> 2 c. à soupe de beurre non salé
> 3 poires pelées et coupées en dés
> 1 tasse de fromage bleu
> 1 tasse de fromage mascarpone
> 2 c. à soupe de zeste de citron râpé
> 1 c. à soupe de persil frais râpé
> 1/2 c. à thé de romarin frais haché
> 1/2 c. à thé de thym frais haché
> 3 grandes feuilles de pâte fraîche
> Sel et poivre finement moulu

## GARNITURES

> 1/4 de tasse de ciboulette hachée
> 1/2 tasse de pesto
> Parmesan râpé

## PRÉPARATION

Faire chauffer le beurre dans une poêle à frire à feu moyen. Ajouter les poires et laisser cuire jusqu'à ce qu'elles soient tendres et légèrement dorées (10 minutes). Mettre de côté pour laisser refroidir. Déposer le fromage bleu, le mascarpone, le zeste de citron, le persil, le romarin et le thym dans un bol. Assaisonner de sel et de poivre. Battre doucement pour bien incorporer les ingrédients et ajouter délicatement les poires. Couper les feuilles de pâte en galettes de 10 cm et couvrir d'un linge humide pour éviter qu'elles sèchent.

En travaillant avec 5 galettes à la fois, déposer environ 1 c. à soupe de garniture de fromage sur chaque galette. Mouiller la bordure des pâtes et plier chaque galette en 2 pour former des demi-lunes. Pincer les bordures ensemble pour bien refermer. Relever les 2 coins de la pâte et former une petite bordure en pressant à nouveau pour former les agnolotti. Répéter l'opération avec le reste des feuilles de pâte. Vous obtiendrez environ 30 agnolotti. Faire bouillir un grand chaudron d'eau. Plonger les agnolotti et faire bouillir jusqu'à ce que les pâtes flottent à la surface (environ 3 minutes). Égoutter et déposer sur des assiettes. Saupoudrer de ciboulette, de parmesan et garnir de pesto.

# Cannelloni aux épinards, au feta et à la ricotta
### Donne 4 portions

## INGRÉDIENTS

- 500 g d'épinards congelés
- 350 g de fromage ricotta
- 200 g de fromage feta émietté
- 4 oignons verts (la partie blanche) finement hachés
- 2 gousses d'ail broyées
- 16 cannelloni à farcir
- 800 g de tomates, en dés
- 1 tasse de mozzarella râpé grossièrement
- 1 pincée de muscade moulue
- Sel et poivre fraîchement moulu
- Feuilles de laitue

## PRÉPARATION

Préchauffer le four à 180 °F. Mélanger les épinards, la ricotta, le feta, les oignons verts, l'ail et la muscade dans un grand bol et assaisonner de sel et de poivre. Utiliser 1 c. à thé ou une poche à douille pour farcir chaque cannelloni avec le mélange d'épinards et de fromages. Déposer les cannelloni sur une seule couche sur une plaque à biscuits de 19 x 30 cm. Verser uniformément les tomates sur les cannelloni et saupoudrer de mozzarella. Couvrir le tout de papier aluminium et faire cuire au four pendant 40 minutes. Enlever le papier et laisser cuire encore jusqu'à ce que les pâtes soient tendres et que le fromage soit bien doré (10 minutes). Retirer du four et laisser reposer 5 minutes. Déposer les cannelloni sur des assiettes et servir immédiatement avec des feuilles de laitue.

# Cannelloni aux épinards et aux noix de pin

Donne 5 portions

## INGRÉDIENTS

250 g d'épinards équeutés
2 tasses de fromage ricotta
1 œuf
3/4 de c. à thé de sel
1/4 de c. à thé de poivre noir fraîchement moulu
3 c. à thé de noix de pin rôties et hachées
1 pot de sauce tomate et pecorino romano
250 g de pâtes fraîches aux œufs coupées en 10 morceaux
de 10 x 15 cm
1/3 de tasse de parmesan

## PRÉPARATION

Rincer les épinards et déposer les feuilles encore humides dans une poêle à frire à feu moyen-fort. Faire cuire en remuant de temps à autre jusqu'à ce qu'ils soient flétris (1 minute). Transférer les épinards dans une passoire et presser avec une cuiller en bois pour extraire le jus. Hacher finement les feuilles. Battre la ricotta, l'œuf, le sel, le poivre, les noix de pin et les épinards dans un bol à l'aide d'une cuillère en bois jusqu'à ce que le tout soit bien mélangé. Réfrigérer jusqu'à utilisation. Préchauffer le four à 400 °F. Étaler 1/4 de tasse de sauce au fond d'une plaque à biscuits de 23 x 33 cm. Étendre une feuille de pâte sur une surface de travail en posant le côté le plus long vers vous puis verser 1/4 de garniture au centre. Rouler
la pâte autour de la garniture en

commençant par le côté le plus près de vous. Répéter l'opération avec le reste des feuilles de pâte et de la garniture. Déposer les cannelloni à la verticale au centre de la plaque puis verser 1 tasse de sauce au centre des cannelloni et saupoudrer de fromage. Recouvrir de papier aluminium et faire cuire pendant 20 minutes. Enlever le papier et continuer de faire cuire jusqu'à ce que la surface soit dorée (20 minutes). Laisser reposer pendant 5 minutes avant de servir. Pendant ce temps, faire chauffer le reste de la sauce dans une petite casserole à feu moyen. Transférer la sauce dans un petit bol et déposer sur la table.

# Courge spaghetti au tofu
### Donne 4 portions

## INGRÉDIENTS

4 c. à soupe d'huile d'olive

1 oignon, en dés

1 gousse d'ail émincée

1 carotte râpée

1 branche de céleri, en cubes

1 paquet de 450 g (1 lb) de tofu ferme, râpé

1 c. à soupe de basilic frais, haché

1/2 c. à thé de thym frais

3 tasses de tomates broyées

2 c. à soupe de pâte de tomates

1/2 c. à thé de piment de Cayenne

2 c. à soupe de base de bouillon de légumes

Sel et poivre au goût

1 grosse courge spaghetti ou 2 petites

## PRÉPARATION

Dans un chaudron, chauffer l'huile d'olive et y faire dorer l'oignon et l'ail. Ajouter la carotte, le céleri et le tofu et laisser mijoter 5 minutes. Saupoudrer de basilic et de thym. Incorporer les tomates, la pâte de tomates, le piment de Cayenne et la base de bouillon de légumes. Assaisonner et laisser mijoter environ 1 heure à feu doux. Pendant ce temps, couper la courge en 2 et enlever les graines. Enfourner à 350 °F ou plonger dans l'eau chaude 20 minutes. Séparer par ci par là les filaments de la chair, qui ressemblent à s'y méprendre à du spaghetti. Servir la sauce sur un lit de ces « pâtes végétales ».

SAVIEZ-VOUS QUE ?
Nettoyer légèrement les graines fraîches et les laisser sécher tout doucement au four. Les graines de courge, comme celles de la citrouille, composent une merveilleuse collation qui contient trois fois plus de protéines qu'une quantité équivalente d'arachides.

# Fettuccini crémeux aux deux fromages

Donne 4 portions

## INGRÉDIENTS

350 g de fettuccini
2 c. à soupe de beurre
1 tasse de crème légère
1/2 tasse de fromage pecorino romano râpé
1/2 tasse de fromage parmesan râpé
1/4 de tasse de persil frais haché
Gros sel

## PRÉPARATION

Faire bouillir les pâtes dans un chaudron d'eau salée jusqu'à ce qu'elles soient *al dente*. Retirer 1 tasse d'eau de cuisson des pâtes et réserver. Égoutter les pâtes et réserver. Faire fondre le beurre dans la même casserole à feu moyen. Ajouter la crème légère et les fromages et laisser mijoter en remuant pour bien mélanger. Ajouter les pâtes et remuer pour bien mélanger les ingrédients. Ajouter l'eau de cuisson des pâtes, au besoin, pour allonger la sauce. Saupoudrer de persil et servir.

# Macaroni aux quatre fromages
### Donne 6 portions

## INGRÉDIENTS

1 c. à soupe d'huile végétale

1 paquet de macaroni

9 c. à soupe de beurre

1/2 tasse de fromage Munster râpé

1/2 tasse de fromage cheddar doux râpé

1/2 tasse de fromage cheddar fort râpé

1/2 tasse de fromage Monterey Jack râpé

1 1/2 tasse de crème légère

250 g de préparation à base de fromage fondu

2 œufs battus

1/4 de c. à thé de sel

1 pincée de poivre noir moulu

## PRÉPARATION

Porter à ébullition un grand chaudron d'eau légèrement salée. Ajouter les pâtes et faire cuire jusqu'à ce qu'elles soient *al dente* (8 à 10 minutes). Égoutter et remettre dans la casserole. Faire fondre 8 c. à soupe de beurre à feu moyen dans une petite casserole. Verser le beurre dans le chaudron de macaronis. Bien mélanger dans un grand bol les fromages munster, cheddar doux, cheddar fort et Monterey Jack. Préchauffer le four à 350 °F. Incorporer la crème, 1 1/2 tasse du mélange des 4 fromages, la préparation à base de fromage fondu et les 2 œufs battus dans le chaudron de macaronis. Remuer le tout et assaisonner de sel et de poivre. Transférer le mélange dans un grand plat profond allant au four légèrement graissé, saupoudrer le tout avec le reste du mélange de 4 fromages et ajouter 1 c. à soupe de beurre. Faire cuire au four jusqu'à ce que le macaroni soit chaud et que les bordures se mettent à bouillonner (35 minutes).

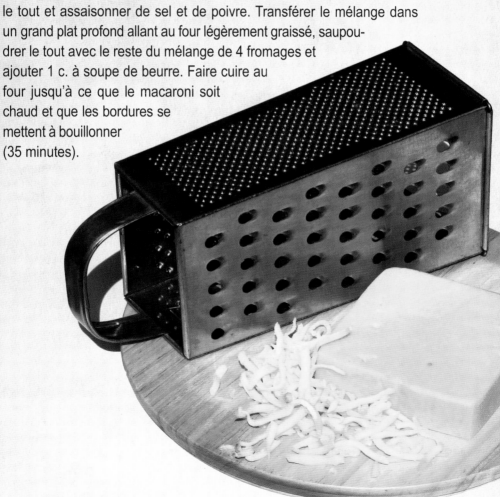

# Nouilles à la sauce aux arachides et à la lime

Donne 18 portions

## INGRÉDIENTS

175 g de linguine aux épinards
(ou de spaghettis de blé entier)
1 tasse de bouquets de brocoli
1 tasse de pois mange-tout
1 tasse de petits pois sucrés
1/4 tasse de beurre d'arachide crémeux naturel
1/8 de tasse de sauce soja faible en sodium
1/8 de tasse d'eau
1 c. à soupe de vinaigre de riz
1 c. à soupe de jus de lime frais
1/2 oignon vert coupé en morceaux
1 cm de gingembre frais finement râpé
1 c. à soupe de cassonade
1/8 de c. à thé de poivre de Cayenne
1/4 tasse d'arachides écalées non salées

## PRÉPARATION

Faire cuire les pâtes dans un gros chaudron d'eau bouillante en suivant les indications inscrites sur le paquet. Égoutter et rincer à l'eau froide. Pendant que les pâtes cuisent, déposer le brocoli dans une marguerite et faire cuire à la vapeur pendant 3 minutes. Ajouter les pois mange-tout et les petits pois sucrés et laisser cuire à la vapeur pendant encore 2 minutes. Faire rôtir

les arachides dans une poêle à frire sèche à feu moyen jusqu'à ce qu'elles dégagent une forte odeur (3 minutes). Mettre de côté et laisser refroidir. Faire la sauce en réduisant le beurre d'arachide, la sauce soja, l'eau, le vinaigre, le jus de lime, l'oignon vert, le gingembre, le sucre et le poivre de Cayenne en purée dans un robot culinaire ou un mélangeur jusqu'à l'obtention d'une texture lisse. Mélanger les pâtes avec 3/4 de tasse de sauce aux arachides avant de servir. Répartir les pâtes dans 6 bols et couvrir chaque bol de légumes. Verser le reste de la sauce sur les légumes. Hacher grossièrement les arachides et saupoudrer chaque bol avant de servir.

# Pâtes de blé entier aux pois chiches et à la scarole
## Donne 4 portions

## INGRÉDIENTS

2 tasses de penne de blé entier
1 scarole grossièrement hachée
4 c. à soupe d'huile d'olive extra vierge (ou plus, au goût)
1/4 de tasse de câpres
5 gousses d'ail tranchées
1/2 tasse de persil frais
finement haché
1/4 de c. à thé de poivre de Cayenne
1 boîte de tomates pelées avec le jus (à part)
1 boîte de pois chiches
2 feuilles de laurier
1/2 tasse de fromage parmesan fraîchement râpé, et plus pour garnir
Sel casher et poivre fraîchement moulu

## PRÉPARATION

Faire cuire les pâtes en suivant les instructions du paquet puis ajouter la scarole au cours des 2 dernières minutes de cuisson. Couvrir sans remuer. Extraire la scarole avec des pinces et réserver. Égoutter les pâtes et réserver 1/2 tasse d'eau de cuisson. Pendant ce temps, faire chauffer 1 c. à soupe d'huile d'olive dans une grande poêle à frire à feu moyen-fort. Ajouter les câpres et faire frire jusqu'à ce qu'elles soient croustillantes (2 minutes). Transférer les câpres sur une assiette couverte d'essuie-tout. Verser le reste de l'huile dans la poêle à frire et faire cuire l'ail, le persil et le poivre de Cayenne jusqu'à ce que l'ail soit légèrement grillé (1 minute). Ajouter les tomates (sans le jus), les pois chiches, une pincée de sel et les feuilles de laurier. Faire cuire jusqu'à ce que les tomates et les pois chiches soient dorés (6 minutes). Ajouter la scarole et le jus des tomates et faire cuire jusqu'à ce que la sauce épaississe légèrement (environ 4 minutes). Retirer et jeter les feuilles de laurier. Verser les pâtes cuites dans la poêle et bien remuer pour les enrober de sauce. Assaisonner de sel et de poivre et ajouter un peu d'eau de cuisson si la sauce est trop épaisse. Ajouter le fromage et couvrir le tout de câpres frites.

# Pâtes fraîches version classique
## Donne 500 g

### INGRÉDIENTS

> 2 1/4 tasses de farine (tout usage)
> non blanchie (et plus au besoin)
> 3 gros œufs légèrement battus
> Semoule de blé dur

### PRÉPARATION

Déposer la farine en tas sur une surface de travail. Creuser un trou au centre assez grand pour contenir les œufs battus et verser les œufs. Incorporer graduellement de la farine dans le trou à l'aide d'une fourchette. Lorsque les œufs ne sont plus coulants, défaire le mur. Continuer de mélanger la farine et les œufs jusqu'à ce que la pâte ne soit plus humide. Commencer à pétrir la pâte à la main en ajoutant de la farine, au besoin, jusqu'à ce qu'elle ne soit plus collante (3 à 5 minutes). Faire passer le reste de la farine dans un tamis pour extraire les grumeaux et mettre de côté. Saupoudrer des plaques à biscuits avec de la semoule de blé dur. Diviser la pâte en 2 et laisser une moitié sur la surface de travail avant de la recouvrir d'un linge à vaisselle pour éviter qu'elle sèche. Déposer la machine à pâtes alimentaires sur une surface de travail légèrement farinée (avec la farine mise de côté). Aplatir l'autre moitié de pâte à l'aide d'un rouleau à pâte pour former un rectangle assez mince pour passer entre les rouleaux de la machine écartés au maximum. Passer une première fois la pâte entre les rouleaux puis déposer la pâte sur la surface de travail avant de la saupoudrer légèrement de farine. Plier la pâte en 3 dans le sens de la longueur pour obtenir un rectangle et saupoudrer chaque côté avec de la farine. Aplatir encore avec le rouleau à pâte pour

la faire passer une deuxième fois entre les rouleaux de la machine. Faire passer 8 autres fois la pâte entre les rouleaux écartés au maximum. Il est important de saupoudrer la pâte de farine, de la replier et de l'aplatir tel que décrit, entre chaque passage. Après 10 passages entre les rouleaux écartés au maximum, la pâte devrait être complètement lisse et souple. Pour amincir la pâte, faire passer la pâte à plusieurs reprises entre les rouleaux en les resserrant un peu plus chaque fois. Lorsque la bande de pâte devient moins maniable, couper en 2 et continuer de faire passer chaque moitié à la fois entre les rouleaux jusqu'à l'obtention de l'épaisseur désirée. Déposer les bandes de pâte sur les plaques à biscuits et couvrir d'un linge à vaisselle pour éviter qu'elles sèchent. Répéter l'opération avec l'autre moitié de la pâte. Découper les pâtes à la main ou à la machine pour obtenir les formes désirées.

# Pennes aux lentilles
### Donne 4 portions

## INGRÉDIENTS

450 g (1 lb) de pennes
3 c. à soupe d'huile d'olive
1 oignon haché
1 gousse d'ail émincée
1 carotte, en dés
2 branches de céleri
1/2 tasse de lentilles rouges

1 1/2 tasse de tomates broyées
2 c. à soupe de pâte de tomates
2 tasses de bouillon de légumes
1 c. à soupe de basilic frais, haché
1/4 c. à thé de piments broyés
Sel et poivre au goût

## PRÉPARATION

Faire cuire les pâtes. Dans un grand chaudron, chauffer l'huile et y faire revenir l'oignon, l'ail, la carotte et le céleri. Ajouter les lentilles, les tomates broyées, la pâte de tomates, le bouillon de légumes, le basilic et les piments broyés. Assaisonner. Porter à ébullition, couvrir et laisser mijoter environ 30 minutes. Servir chaud sur un lit de pennes.

# Raviolis aux légumes dans une sauce aux noix de Grenoble

Donne 4 portions

## INGRÉDIENTS

4 tasses de légumes amers assortis

4 oignons verts finement hachés

5 à 6 feuilles de céleri hachées

12 feuilles de persil grossièrement hachées, plus 4 à 6 branches pour décorer

1 tasse de fromage ricotta

1 jaune d'œuf

1 pincée de muscade moulue

2 c. à thé et 1/2 tasse de fromage pecorino romano râpé

1 tasse de noix de Grenoble, plus quelques noix hachées pour garnir

1 gousse d'ail

1/3 d'huile d'olive extra vierge et quelques gouttes de plus pour arroser

1/2 tasse de crème riche en matières grasses

500 g de feuilles de pâte fraîche

Feuilles de 5 branches de marjolaine grossièrement hachées, plus des feuilles de 2 à 3 branches de marjolaine finement hachées

Sel et poivre fraîchement moulu, au goût

## PRÉPARATION

Porter à ébullition un grand chaudron d'eau salée. Ajouter les légumes et faire cuire pendant 2 minutes. Transférer les légumes dans une passoire à l'aide d'une écumoire et réserver l'eau de cuisson. Rincer les légumes à l'eau froide pour cesser la cuisson et préserver leur couleur, égoutter et presser pour extraire l'humidité. Hacher les légumes avant de les déposer dans un bol. Ajouter les oignons verts, les feuilles de céleri, le basilic, la marjolaine grossièrement hachée, la ricotta, le jaune d'œuf, la muscade et 2 c. à thé fromage pecorino. Assaisonner de sel et de poivre et bien mélanger le tout. Déposer 1 tasse de noix de Grenoble et la gousse d'ail dans un mélangeur ou un robot culinaire et hacher grossièrement. Ajouter l'huile d'olive, la marjolaine finement hachée, la crème et du sel et mélanger pour obtenir une sauce grossière (la sauce ne doit pas être trop lisse). Déposer dans un petit bol, ajouter 1/2 tasse de fromage pecorino et bien mélanger le tout. Réserver. Préparer les raviolis avec les feuilles de pâte et la farce aux légumes puis déposer les raviolis sur une plaque à biscuits farinée. Porter l'eau de cuisson des légumes à ébullition et ajouter les raviolis. Faire cuire les pâtes selon leur fraîcheur jusqu'à ce qu'elles soient tendres (30 secondes à 3 minutes). Il se peut que vous deviez faire cuire les raviolis en deux fois. Transférer les raviolis sur de l'essuie-tout à l'aide d'une écumoire pour les égoutter brièvement puis déposer dans un bol assez profond. Réserver environ 1/2 tasse d'eau de cuisson. Verser la sauce aux noix sur les raviolis puis ajouter environ 2 c. à thé d'eau de cuisson et remuer doucement pour bien distribuer la sauce sur les pâtes en ajoutant un peu plus d'eau au besoin. Garnir de basilic et de noix et servir.

# Rigatonis primavera
## Donne 4 portions

## INGRÉDIENTS

335 g (3/4 de lb) de pâtes rigatonis
2 c. à soupe de margarine
1 oignon jaune émincé
2 tasses de bouquets de brocoli
1 tasse de champignons tranchés
1/2 poivron rouge, en dés
1/2 poivron vert, en dés
1 tasse de pois mange-tout
Sel et poivre au goût
1 tasse de jus de légumes
Persil frais, haché

## PRÉPARATION

Faire cuire les pâtes. Dans une grande poêle, faire fondre la margarine et y laisser tomber l'oignon et les bouquets de brocoli. Après 1 minute ajouter les champignons, et laisser cuire 3 minutes avant d'ajouter les poivrons. Poursuivre la cuisson 7 minutes. Pendant ce temps, faire cuire les pois mange-tout à la marguerite 3 minutes. Mêler les pois au reste des légumes et verser le jus de légumes. Assaisonner et laisser mijoter 5 minutes. Verser la sauce sur les pâtes encore chaudes. Servir en décorant de persil.

### SAVIEZ-VOUS QUE?
On peut accompagner ce repas d'une tranche de pain complet afin d'augmenter sa teneur en protéines.

# Salade de macaronis plein soleil

### Donne 4 portions

## INGRÉDIENTS

1 tasse de macaronis non cuits

1/4 tasse de mayonnaise

1 c. à soupe de vinaigre de vin rouge

1 c. à thé de moutarde de Dijon

1 pincée de sel

Poivre au goût

1/2 oignon rouge haché

1/2 poivron jaune ou orangé, en dés

1/4 poivron rouge, en dés

1 tomate épépinée, en dés

4 ou 5 olives noires, en rondelles

PRÉPARATION

Faire cuire les macaronis à point, égoutter et réserver. Dans un petit bol, mélanger énergiquement la mayonnaise, le vinaigre, la moutarde, le sel et le poivre. Dans un grand bol, verser les pâtes cuites et y mêler l'oignon, les poivrons, la tomate et les olives. Humecter de la vinaigrette et bien mélanger. Servir frais.

SAVIEZ-VOUS QUE ?
Encore une fois, une tranche de pain complet accompagnera à merveille ce succulent plat de pâtes et en augmentera la teneur en protéines.

VARIANTE
Si on désire un plat plus consistant, on peut ajouter des pois chiches à cette salade.

# Sauce pour pâtes simplement délicieuse

### Donne 4 portions

## INGRÉDIENTS

8 tomates fraîches bien mûres
30 ml (2 c. à soupe) d'huile d'olive
3 gousses d'ail émincées
1 oignon, en dés
2 carottes, en dés fins
2 ou 3 feuilles fraîches de basilic
Sel et poivre au goût

## PRÉPARATION

Faire bouillir les tomates afin d'enlever la pelure. Couper les tomates en quartiers et conserver leur jus. Dans une grande poêle, faire chauffer l'huile et y dorer l'ail et l'oignon. Ajouter les carottes et laisser chauffer environ 2 minutes. Verser les tomates avec leur jus, laisser tomber les feuilles de basilic et assaisonner. Couvrir et laisser mijoter à feu doux de 45 à 60 minutes. Rectifier l'assaisonnement et servir chaud, avec des pâtes au choix.

## SAVIEZ-VOUS QUE?

Voilà une sauce simple et délicieuse qui n'engendre aucune lourdeur! L'accompagnement de pain complet est cependant encouragé, puisqu'on y trouve assez peu de protéines.

# Spaghettis à l'ail

## Donne 4 portions

### INGRÉDIENTS

450 g (1 lb) de spaghettis
3 c. à soupe d'huile d'olive
5 gousses d'ail émincées
4 tomates italiennes concassées
3 c. à soupe de basilic frais, haché
Sel et poivre au goût

### PRÉPARATION

Faire cuire les pâtes. Dans un grand chaudron, chauffer l'huile et y faire revenir l'ail. Ajouter les tomates et le basilic frais. Assaisonner, ajouter les spaghettis et mélanger pour bien imbiber les pâtes. Servir chaud.

### SAVIEZ-VOUS QUE ?

Cette recette est simple et rapide. Elle se prête aussi à toutes sortes de variantes : crevettes, olives vertes ou noires, sans tomates, etc. On la sert tant comme plat principal que comme mets d'accompagnement. Comme plat principal, il faut cependant compléter avec une tranche de pain complet afin d'avoir toutes les protéines nécessaires.

# Spaghettis aux olives
## Donne 4 portions

## INGRÉDIENTS

> 4 c. à soupe d'huile d'olive
> 6 gousses d'ail émincées
> 1 oignon haché
> 1/3 tasse de vin blanc sec
> 3 tasses de tomates, en dés avec leur jus
> 1/2 tasse d'olives noires, en rondelles
> 4 c. à soupe de basilic frais, haché
> Piments broyés, au goût
> 450 g (1 lb) de pâtes de blé entier

## PRÉPARATION

Dans une grande poêle, faire chauffer l'huile et y dorer l'ail et l'oignon. Verser le vin, attendre quelques secondes puis ajouter les tomates, les olives, le basilic et les piments broyés. Laisser cuire à feu doux une quinzaine de minutes, le temps que l'eau s'évapore et que toutes les saveurs se mélangent. Préparer les pâtes entre-temps. Servir chaud.

### SAVIEZ-VOUS QUE ?
Rien n'empêche de saupoudrer un peu de parmesan sur les spaghettis ! Encore une fois, le pain complet est de mise.

# Spaghettis aux pois chiches
### Donne 4 portions

## INGRÉDIENTS

450 g (1 lb) de spaghettis
1 c. à soupe d'huile d'olive
2 gousses d'ail émincées
1/4 c. à thé de piments broyés
1 petit chou-fleur en bouquets
3 tasses de tomates, en dés avec leur jus
1 c. à thé de thym frais
1 c. à soupe d'origan frais, haché
1 c. à soupe de basilic frais, haché
1 tasse de bouillon de légumes
15 ml (1 c. à soupe) de vinaigre de vin rouge
1 pincée de sel
1/4 tasse d'olives noires, en rondelles
1 1/2 tasse de pois chiches prêts à servir
1/4 tasse de persil frais, haché

## PRÉPARATION

Faire cuire les pâtes. Entre-temps, chauffer l'huile dans un chaudron et y faire sauter l'ail 2 minutes. Ajouter les piments broyés et les bouquets de chou-fleur et laisser cuire 2 autres minutes. Ajouter les tomates, le thym, l'origan, le basilic, le bouillon de légumes, le vinaigre de vin, le sel et les olives. Porter à ébullition et cuire 5 minutes. Ajouter les pois chiches et cuire encore 5 minutes. Ajouter le persil, mélanger et rectifier l'assaisonnement. Verser sur les pâtes chaudes.

# Chapitre V

## Les légumineuses

Un menu végétarien ne serait rien sans une bonne dose de légumineuses. Il y a là plein de belles découvertes à faire. Les pois chiches vous rebutent ? Pourquoi ne pas commencer par des haricots blancs, des flageolets ou une soupe aux lentilles ? Une fois démystifiées, les légumineuses dévoilent tous leurs charmes... En plus d'être des trésors nutritifs, elles sont tout simplement savoureuses !

# Courge glacée à l'érable et à l'orange
### Donne 8 portions

## INGRÉDIENTS

3 courges poivrées (750 g chacune)

3 c. à soupe de beurre non salé, fondu

1/4 de tasse et 1 c. à soupe d'eau

1/4 de tasse de jus d'orange frais

2 c. à soupe de zeste d'orange finement haché

1/4 de tasse de sirop d'érable

2 c. à soupe de thym frais haché, plus quelques branches pour garnir

1/4 de tasse de canneberges séchées

Sel casher et poivre noir fraîchement moulu, au goût

## PRÉPARATION

Préchauffer le four à 400 °F. Couper les extrémités de chaque courge puis couper chacune d'elles en tranches de 1 cm d'épaisseur sans le sens de la largeur. À l'aide d'un emporte-pièce plus large que le centre contenant les graines, couper et jeter les graines pour laisser une rondelle très nette. Déposer les rondelles dans un grand bol et assaisonner généreusement de sel et de poivre. Incorporer 2 c. à soupe de beurre fondu et disposer les rondelles de courge dans une grande poêle à frire. Fouetter ensemble 1/4 de tasse d'eau, le jus et le zeste d'orange dans un petit bol. Verser sur les rondelles de courge puis faire chauffer la poêle à feu moyen-fort. Couvrir et faire cuire les rondelles jusqu'à ce qu'elles soient presque tendres lorsque piquées avec une fourchette (15 minutes). Fouetter ensemble le reste du beurre, 1 c. à soupe d'eau, le sirop d'érable, le thym haché et les canneberges dans un petit bol. Verser sur les rondelles de courge, transférer la poêle dans le four et faire cuire sans couvrir de 10 à 15 minutes. Transférer les rondelles dans un bol, garnir de thym et servir immédiatement.

# Couscous fameux
## Donne 4 portions

## INGRÉDIENTS

2 tasses d'eau
1/4 c. à thé de sel de mer
4 c. à soupe d'huile d'olive
1 1/3 tasse de couscous
2 oignons rouges hachés
1 gousse d'ail émincée
1/2 poivron vert, en dés
2 carottes, en dés
2 courgettes, en dés
2 pommes de terre, en dés
2 tasses de pois chiches prêts à servir
1/4 tasse de pâte de tomates
2 tasses de bouillon de légumes
Sel et poivre au goût
1 branche de thym frais
Persil frais, haché

## PRÉPARATION

Dans un chaudron moyen, verser l'eau, le sel et 30 ml (2 c. à soupe) d'huile et porter le tout à ébullition. Y répandre le couscous et couvrir. Retirer du feu et laisser reposer. Pendant ce temps, faire revenir les oignons, l'ail, le poivron, les carottes, les courgettes et les pommes de terre dans le reste l'huile d'olive quelques minutes. Ajouter les pois chiches, la pâte de tomates et le bouillon de légumes. Saler, poivrer et saupoudrer de thym et de persil. Laisser mijoter 10 minutes. Servir chaud sur un lit de couscous.

# Couscous frais
# aux haricots noirs
### Donne 4 portions

## INGRÉDIENTS

2 tasses d'eau

1/4 c. à thé de sel de mer

4 c. à soupe d'huile d'olive

1 1/3 tasse de couscous

1 c. à soupe de vinaigre balsamique

2 c. à soupe de jus de lime

1 gousse d'ail émincée

1 c. à thé d'origan frais, haché

1/2 c. à thé de cumin moulu

1/4 c. à thé de thym frais

Sel et poivre au goût

1 tasse d'oignons verts hachés

1 poivron rouge, en dés

1/4 tasse de persil plat haché

1 tasse de maïs en grains

1 tasse de haricots noirs prêts à servir

## PRÉPARATION

Dans un chaudron moyen, verser l'eau, le sel et 30 ml (2 c. à soupe) d'huile et porter le tout à ébullition. Y répandre le couscous et couvrir. Retirer du feu et laisser reposer. Préparer une vinaigrette avec le reste d'huile d'olive, le vinaigre balsamique, le jus de lime, la gousse d'ail, l'origan, le cumin et le thym, du sel et du poivre. Réserver. Dans un grand bol, verser les oignons verts, le poivron rouge, le persil et les grains de maïs bien rincés. Incorporer la vinaigrette, puis ajouter les haricots noirs bien rincés eux aussi. Rincer le couscous cuit à l'eau froide et l'ajouter au mélange de légumes. Rectifier l'assaisonnement et réfrigérer. Servir frais.

# Délice de lentilles au cari
## Donne 4 portions

## INGRÉDIENTS

1 tasse de lentilles vertes
1/2 tasse d'orge mondé
1/2 tasse d'un mélange de riz brun et sauvage
1 c. à soupe d'huile d'olive
3 gousses d'ail émincées
1 oignon haché finement
1 oignon vert haché
1 c. à soupe de poudre de cari
6 tasses de bouillon de légumes
1/2 c. à thé de thym séché
Sel et poivre au goût

## PRÉPARATION

Faire tremper les lentilles, l'orge et le riz dans des plats séparés pendant au moins 30 minutes (1 heure suffit). Chauffer l'huile et y faire revenir l'ail avant d'ajouter les oignons. Ajouter le cari. Égoutter les lentilles, l'orge et le riz et les combiner à la recette. Bien mélanger, verser le bouillon et porter à ébullition. Baisser le feu et couvrir. Laisser mijoter environ 45 minutes. Vérifier la cuisson et ajouter du bouillon si nécessaire. Assaisonner en fin de cuisson.

SAVIEZ-VOUS QUE ?
Cette recette peut aussi servir en accompagnement. Attention cependant : quand on commence à en manger, on a du mal à s'arrêter !

# Délice de riz végétarien
### Donne 4 portions

## INGRÉDIENTS

- 1 tasse de haricots blancs secs
- 3 c. à soupe d'huile d'olive
- 2 gousses d'ail
- 2 oignons
- 1 grosse carotte, en dés
- 1 poivron rouge, en dés
- 3 tomates bien juteuses
- Sel au goût
- 4 tasses d'eau
- 1 1/2 tasse d'un mélange de riz blanc, brun et sauvage
- 2 feuilles de laurier
- Poivre au goût

## PRÉPARATION

Faire tremper les haricots au moins 1 heure et accélérer la cuisson en les faisant bouillir environ 1 heure. Égoutter et réserver. Dans un grand chaudron, chauffer l'huile et y faire dorer l'ail et les oignons. Ajouter la carotte, puis le poivron. Verser les tomates et laisser cuire environ 5 minutes. Ajouter les haricots et mélanger. Saler puis verser l'eau et le riz. Ajouter les feuilles de laurier. Poivrer en fin de cuisson, lorsque le riz est bien cuit.

# Falafels classiques
### Donne 6 portions

## INGRÉDIENTS

1 boîte de pois chiches
1 oignon haché très finement
1 gousse d'ail broyée
1 tranche de pain blanc (trempée dans l'eau)
1/4 de c. à thé de poivre de Cayenne
1 c. à thé de coriandre moulue
1 c. à thé de cumin moulu
2 c. à soupe de persil finement haché
Tranches de tomates
Tranches d'oignon
Navet mariné
Laitue finement tranchée
6 pains pita
Sel, au goût
Huile pour frire

## SAUCE TZATZIKI

500 g de yogourt nature
2 concombres pelés, épépinés et coupés en dés
2 c. à soupe d'huile d'olive
1/2 citron (le jus)
1 c. à soupe d'aneth frais haché
3 gousses d'ail
Sel et poivre, au goût

### PRÉPARATION FALAFELS

Faire tremper les pois chiches une nuit complète. Couvrir d'eau fraîche et faire cuire jusqu'à ce qu'ils soient tendres (1 heure). Égoutter et réduire les pois chiches en purée. Défaire le pain en morceaux avant de l'incorporer aux pois chiches avec l'oignon, l'ail, le poivre de Cayenne, la coriandre, le cumin, le persil et le sel. Bien pétrir le tout. Laisser reposer le mélange pendant 1 ou 2 heures puis former des boulettes de 2,5 cm avec les mains. Faire chauffer au moins 2,5 cm d'huile à 360 °F dans une poêle à frire et faire frire quelques boulettes à la fois pendant 2 ou 3 minutes jusqu'à ce qu'elles soient uniformément dorées. Égoutter, servir chaud dans les pains pita et garnir le tout de tomates, d'oignon, de navet mariné, de laitue et de tatziki.

### PRÉPARATION SAUCE

Mélanger le yogourt, le concombre, l'huile d'olive, le jus de citron, le sel, le poivre, l'aneth et l'ail jusqu'à ce que tous les ingrédients soient bien incorporés. Verser dans un bol, couvrir et réfrigérer pendant au moins 1 heure.

135

# Haricots et saucisses
## Donne 4 portions

## INGRÉDIENTS

- 1 c. à soupe d'huile d'olive
- 1 petit oignon haché
- 2 gousses d'ail émincées
- 1 pincée de clou de girofle moulu
- 1 c. à thé de cumin moulu
- 1 c. à soupe de moutarde sèche
- 1 c. à soupe de sauce Worcestershire
- 1 c. à thé de thym frais
- 2 1/4 tasses d'eau
- 1 c. à soupe de vinaigre de vin rouge
- 3 c. à soupe de mélasse
- 6 c. à soupe de pâte de tomates
- 1 c. à soupe de cassonade
- 1 c. à thé de sel
- Poivre au goût
- 4 tasses de haricots blancs cuits
- 4 saucisses au tofu

## PRÉPARATION

Dans une grande poêle allant au four, chauffer l'huile et y dorer l'oignon et l'ail 5 minutes. Ajouter les épices (clou de girofle, cumin, moutarde sèche), la sauce Worcestershire et le thym. Mouiller d'eau et de vinaigre de vin. Dans le bouillon fumant, délayer la mélasse et la pâte de tomates, puis ajouter la cassonade. Saler et poivrer. Combiner les haricots, couvrir et mettre au four 90 minutes à 350 °F. Ajouter les saucisses et poursuivre la cuisson 30 minutes. Servir chaud.

# Haricots olé !

### Donne 4 portions

## INGRÉDIENTS

1 tasse de haricots de Lima secs
1 c. à soupe d'huile végétale
1 petit oignon, en fines lamelles
1 oignon vert émincé
1/2 poivron vert
1 boîte de 796 ml (28 oz) de tomates, en dés
1 c. à thé de thym
1 c. à thé de basilic
Poivre du moulin

## PRÉPARATION

Faire tremper les haricots au moins 1 heure. Pour accélérer l'hydratation, cuire une bonne heure à feu moyen en ajoutant de l'eau au besoin et en salant à mi-cuisson. Chauffer l'huile dans une grande poêle et y faire dorer l'oignon et l'oignon vert. Ajouter le poivron et cuire 1 minute en remuant. Verser les tomates avec leur jus et assaisonner. Cuire 5 minutes et servir chaud.

### VARIANTE
Pour mettre du piquant dans ce plat succulent, ajouter un peu de piments broyés et une touche de paprika.

# Haricots sautés
### Donne 4 portions

**INGRÉDIENTS**

3 c. à soupe d'huile d'olive
1 oignon haché
1 gousse d'ail émincée
1 1/2 tasse de haricots
rouges cuits
1 c. à thé de poudre de chili
Poivre au goût

**PRÉPARATION**

Dans une poêle, chauffer l'huile et y faire dorer l'oignon et l'ail. Ajouter les haricots rouges et le chili. Monter le feu et faire sauter environ 5 minutes. Poivrer, baisser le feu, couvrir et laisser mijoter 2 minutes. Servir dans un pain pita comme une tortilla, avec des tomates coupées en dés et de la laitue.

# Haricots verts piquants à la sichuanaise

Donne 8 à 10 portions

## INGRÉDIENTS

450 g de haricots verts
2 c. à soupe de sauce soja
1 c. à soupe de vinaigre de riz
2 c. à thé de sucre
1/4 à 1/2 c. à thé de flocons de chili
1 c. à soupe d'huile végétale
2 c. à soupe d'ail finement haché
2 c. à soupe de gingembre finement haché
1/4 de c. à tthé de poivre blanc moulu

## PRÉPARATION

Rincer et égoutter les haricots verts avant de les équeuter. Couper les haricots en morceaux de 5 à 7 cm. Mélanger la sauce soja, le vinaigre de riz, le sucre, les flocons de chili et le poivre blanc dans un petit bol. Faire chauffer une grande poêle à frire à feu élevé puis ajouter les haricots et 1/4 de tasse d'eau. Couvrir et faire cuire en remuant 1 fois jusqu'à ce que les haricots soient croquants et d'un vert assez vif (3 ou 4 minutes). Enlever le couvercle et faire cuire jusqu'à ce que le reste de l'eau se soit évaporé. Ajouter l'huile, l'ail et le gingembre dans la poêle et faire cuire jusqu'à ce que les haricots et l'ail soient légèrement dorés (1 ou 2 minutes). Incorporer le mélange de sauce soja dans la poêle, porter à ébullition et faire cuire jusqu'à ce que le plus gros du liquide se soit évaporé et que la sauce épaississe et recouvre les haricots (2 ou 3 minutes). Verser sur une assiette et servir chaud ou froid sur un lit de salade verte.

# Légumes rôtis au cari
## Donne 4 à 6 portions

### INGRÉDIENTS

3 panais moyens pelés
3 carottes moyennes pelées
1 gros navet blanc pelé
250 g d'artichauts de
Jérusalem pelés
3 c. à soupe d'huile végétale
2 c. à soupe de pâte de cari
douce (ou moyennement épicée)
1 c. à soupe de gingembre
frais râpé
Sel et poivre, au goût

### PRÉPARATION

Préchauffer le four à 400 °F. Couper les panais, les carottes et le navet en tranches. Couper les artichauts en 2. Mélanger l'huile, la pâte de cari et le gingembre dans un grand bol puis incorporer les légumes et remuer pour les enrober. Assaisonner de sel et de poivre. Déposer les légumes sur une seule couche des plaques à biscuits. Faire cuire au four en remuant au cours de la cuisson jusqu'à ce que les légumes soient dorés et bien cuits (30 à 35 minutes).

# Lentilles en sauce piquante

Donne 4 portions

## INGRÉDIENTS

1 tasse de lentilles sèches
1 gousse d'ail émincée
1/2 c. à thé de sel
1/4 c. à thé de poivre noir
1 c. à thé de cumin moulu
1/4 c. à thé de cannelle
1 piment rouge, en dés fins
4 tasses d'eau
2 c. à soupe d'huile d'olive
1 oignon, en dés
2 feuilles de laurier

## PRÉPARATION

Passer les lentilles à l'eau et enlever celles qui sont brisées. Faire bouillir de l'eau et y blanchir les lentilles environ 5 minutes. Dans un bol, mélanger l'ail, le sel, le poivre, le cumin, la cannelle et le piment rouge. Y verser 1 tasse d'eau et réserver. Dans un chaudron, faire chauffer l'huile et y dorer l'oignon. Verser le liquide pimenté, ajouter 3 tasses d'eau, les lentilles et les feuilles de laurier. Couvrir et laisser cuire à feu modéré pendant 20 minutes. Laisser mijoter jusqu'à réduction de la sauce, et servir chaud.

### SAVIEZ-VOUS QUE ?
On peut utiliser un piment rouge fort si on veut donner encore plus de piquant à ce plat de lentilles.

141

# Pastas aux pois chiches
Donne 6 portions

## INGRÉDIENTS

450 g (1 lb) de pâtes au choix

2 c. à soupe d'huile d'olive

2 gousses d'ail

1 oignon haché

1 1/2 tasse de pois chiches cuits

1 boîte de 796 ml (28 oz) de tomates

2 c. à soupe de persil frais, haché

1 c. à soupe de thym frais

1 c. à soupe de basilic frais, haché

1 c. à soupe d'origan frais, haché

Sel et poivre au goût

## PRÉPARATION

Faire cuire les pâtes. Dans une grande poêle, chauffer l'huile et y dorer l'ail et l'oignon. Ajouter les pois chiches et laisser frémir 2 minutes. Verser les tomates et les fines herbes. Assaisonner, couvrir et laisser mijoter 30 minutes. Verser la sauce sur les pâtes et servir chaud.

### VARIANTE

On peut changer les pâtes et faire gratiner le tout avec un mélange de fromages mozzarella et emmenthal pour obtenir un succulent plat de lasagnes, par exemple.

# Patates patatra !

Donne 4 portions

## INGRÉDIENTS

- 4 grosses pommes de terre
- 3 c. à soupe d'huile d'olive
- 1 oignon
- Sel et poivre au goût
- 2 oignons verts
- 1 poivron vert, en lanières
- 1 tasse de pois chiches prêts à utiliser

## PRÉPARATION

Laver et éplucher les pommes de terre. Les râper à l'aide d'une bonne vieille râpe à fromage. Faire chauffer 2 c. à soupe d'huile dans une poêle. Y dorer l'oignon quelques secondes, puis ajouter les pommes de terre râpées. Assaisonner. Cuire à feu moyen 5 ou 6 minutes d'un côté, puis retourner les pommes de terre. Former ensuite 4 petites galettes d'environ 15 cm (6 po) de diamètre ou 1 grande que vous couperez au moment de servir seulement. Laisser cuire une dizaine de minutes, le temps que les pommes de terre se figent. Dans une autre poêle, verser 1 c. à soupe d'huile. Chauffer, puis ajouter les oignons verts et les lanières de poivron. Terminer avec les pois chiches, qui ne prennent que quelques secondes à devenir chauds. Déposer une galette de pommes de terre dans chaque assiette et verser le mélange de légumineuses par-dessus. Ajouter un peu de persil si désiré.

VARIANTES

Ces pommes de terre se prêtent à une multitude de variations. On peut remplacer les pois chiches par un mélange de légumineuses variées, et le poivron vert par un poivron orangé. On peut aussi tout simplement servir les patates avec un pesto de basilic ou de tomates séchées. La crème sure et le fromage cottage accompagnent à merveille cette galette originale.

# Poivrons farcis
# à la mexicaine
### Donne 4 portions

## INGRÉDIENTS

2/3 tasse d'un mélange de riz brun et sauvage
1 c. à soupe d'huile végétale
2 gousses d'ail
2 oignons verts
3/4 tasse d'eau
3/4 tasse de jus de légumes
1/3 tasse de maïs en grains
1 tasse de haricots mélangés
1 c. à thé de basilic
1 c. à thé de thym
1 c. à thé d'origan
1/2 c. à thé de piment de Cayenne
1/4 c. à thé de sel de céleri
1/4 c. à thé de piments broyés
1 ou 2 gouttes de sauce tabasco
Sel et poivre au goût
4 poivrons rouges

## PRÉPARATION

Faire tremper le riz 1 heure dans l'eau. Dans un chaudron assez grand, chauffer l'huile et y faire revenir légèrement l'ail et les oignons verts. Verser l'eau et le jus de légumes, puis porter à ébullition. Ajouter le riz et faire cuire jusqu'à ce qu'il ne reste presque plus d'eau. Rincer le maïs et les haricots et combiner au riz. Assaisonner et terminer la cuisson du riz. Goûter et ajuster

145

l'assaisonnement. Couper le chapeau des poivrons. Épépiner, rincer et remplir de riz. Enfourner de 20 à 25 minutes à 350 °F. Servir avec une tranche de pain complet.

### SAVIEZ-VOUS QUE?

Il se peut qu'il reste un peu de riz une fois qu'on aura rempli les poivrons. Réserver les restes pour concocter un excellent dîner qu'on pourra apporter au travail ou à l'école. Ce riz constitue un excellent repas complet qui n'entraînera aucune somnolence en après-midi.

### VARIANTE

Servir ce riz sans les poivrons (ou couper un poivron en petits dés et l'ajouter à la préparation) et le déguster dans une tortilla ou un pain pita. Voilà un excellent wrap santé.

# Ratatouille
### Donne 4 portions

## INGRÉDIENTS

2 c. à soupe d'huile d'olive

3 gousses d'ail finement hachées

2 c. à thé de persil séché

1 aubergine coupée en dés de 1 cm

1 tasse de parmesan râpé

2 courgettes tranchées

1 gros oignon tranché, en rondelles

2 tasses de champignons frais tranchés

1 poivron vert tranché

2 grosses tomates hachées

Sel et poivre

## PRÉPARATION

Préchauffer le four à 350 °F. Badigeonner le fond et les côtés d'un plat allant au four avec 1 c. à soupe d'huile d'olive. Faire chauffer le reste de l'huile d'olive à feu moyen dans une poêle à frire. Faire sauter l'ail jusqu'à ce qu'il soit légèrement doré puis incorporer le persil et l'aubergine. Faire sauter jusqu'à ce que l'aubergine soit tendre, et assaisonner de sel, au goût (10 minutes). Étaler uniformément le mélange d'aubergine au fond du plat allant au four puis saupoudrer de quelques c. à soupe de parmesan. Étaler une couche égale de tranches de courgette sur l'aubergine, saler légèrement et saupoudrer avec un peu de fromage. Continuer de superposer des couches de cette façon avec l'oignon, les champignons, le poivron et les tomates en saupoudrant chaque couche avec du sel et du fromage. Faire cuire au four pendant 45 minutes et servir.

# Ratatouille à l'indienne

## Donne 4 portions

## INGRÉDIENTS

1 tasse de riz blanc à longs grains

2 c. à soupe d'huile végétale (huile de carthame)

1 oignon moyen finement haché

2 gousses d'ail finement hachées

1 c. à soupe de poudre de cari (et plus pour garnir)

1 c. à thé de gingembre moulu

3 tasses de sauce tomate maison ou achetée en magasin
(de qualité supérieure)

2 boîtes de pois chiches

1 c. à soupe de jus de lime frais et des tranches de lime pour garnir

1/2 tasse de yogourt nature faible en gras

Gros sel et poivre moulu

## PRÉPARATION

Faire cuire le riz en suivant les instructions du paquet. Couvrir et garder au chaud. Pendant que le riz cuit, faire chauffer l'huile à feu moyen dans une grande poêle à frire. Ajouter l'oignon et l'ail et assaisonner de sel et de poivre. Faire cuire en remuant souvent jusqu'à ce que l'oignon soit tendre (4 à 6 minutes). Ajouter la poudre de cari et le gingembre moulu et faire cuire en remuant souvent jusqu'à ce que le mélange dégage une forte odeur épicée (1 minute). Ajouter la sauce tomate, les pois chiches et 1 1/2 tasse d'eau. Porter à ébullition puis réduire le feu pour laisser mijoter en remuant de temps à autre jusqu'à ce que le mélange épaississe (8 à 10 minutes). Verser le jus de lime et assaisonner de sel et de poivre. Servir la ratatouille avec du riz et du yogourt et garnir avec des tranches de lime et une pincée de poudre de cari.

# Riz aux lentilles rouges
## Donne 4 portions

### INGRÉDIENTS

1 tasse de riz blanc
1 tasse de riz brun
2 c. à soupe d'huile d'olive
2 gousses d'ail émincées
2 c. à thé de poudre de cari
2 c. à thé de cumin moulu
1 tasse de sauce tomate
1 tasse de lentilles
rouges sèches
2 1/2 tasses de bouillon
de légumes
2 c. à soupe de jus de citron
Sel au goût

### PRÉPARATION

Faire tremper tout le riz ensemble 1 heure. Cuire ensuite selon la méthode habituelle. Dans une grande poêle, chauffer l'huile et y dorer l'ail. Verser le cari, le cumin et la sauce tomate. Laisser mijoter 5 minutes. Ajouter les lentilles et le bouillon de légumes. Couvrir et cuire doucement 30 minutes. Incorporer le jus de citron et le sel. Servir sur un lit de riz.

# Roulade aux asperges
## Donne 6 portions

### INGRÉDIENTS

        2 c. à soupe d'huile d'olive
        1 c. à thé d'ail haché
        2 tasses de poireaux
        finement tranchés (n'utiliser que
        la section blanche et vert pâle)
        1 c. à soupe de menthe
        fraîche hachée
        1 c. à thé de zeste d'orange râpé
        1 1/4 tasse de fromage de chèvre
        250 g de pâte feuilletée congelée
        500 g d'asperges équeutées
        1 œuf battu
        Sel et poivre fraîchement moulu

### PRÉPARATION

Préchauffer le four à 400 °F. Faire
chauffer l'huile d'olive à feu moyen-fort
dans une poêle à frire. Ajouter l'ail et
les poireaux et faire sauter jusqu'à ce
qu'ils soient à la fois tendres et crous-
tillants (2 minutes). Ajouter la menthe
et le zeste d'orange, assaisonner de sel
et de poivre et laisser refroidir. Combiner
le tout avec le fromage de chèvre.

Étendre la pâte feuilletée sur une surface farinée et étaler pour former un rectangle de 25 x 35 cm. Déposer la pâte sur une plaque à biscuits tapissée de papier parchemin puis diviser la garniture au fromage de chèvre et aux légumes en 2. Verser la moitié de la garniture le long du 1/3 supérieur de la pâte feuilletée en étalant dans le sens de la longueur et en laissant une bordure de 2,5 cm en haut et le long des côtés les plus courts. Étendre uniformément les asperges sur le fromage et couvrir avec le reste de la garniture au fromage. Badigeonner les bordures intérieures de la pâte feuilletée avec l'œuf battu puis plier la pâte sur la garniture et rabattre les bordures vers l'intérieur. Faire des entailles diagonales tous les 5 cm sur la surface de la roulade et badigeonner avec de l'œuf. Faire cuire au four jusqu'à ce que la roulade soit bien dorée (20 à 25 minutes).

# Rouleaux d'aubergine au four
## Donne 4 portions

## INGRÉDIENTS

2 aubergines (environ 500 g chacune)

2 poivrons rouges

1/4 de tasse de chapelure légèrement grillée

3/4 de tasse de fromage pecorino

1 c. à soupe de noix de pin

4 c. à soupe d'huile d'olive

2 gousses d'ail finement hachées

1 c. à soupe de persil frais, haché

Environ 16 feuilles de basilic frais

Vinaigre de vin blanc, au goût

1 1/2 c. à thé de sel ou au goût

Poivre noir fraîchement moulu, au goût

## PRÉPARATION

Tailler les extrémités de l'aubergine puis couper des tranches dans le sens de la longueur de façon à obtenir 10 à 12 tranches. Déposer les 8 tranches les plus épaisses (réserver les autres) sur une grille. Saupoudrer les tranches avec 1 1/2 c. à thé de sel. Laisser reposer 2 heures pour extraire l'humidité. Éponger avec de l'essuie-tout. Porter à ébullition un grand chaudron d'eau salée et faire cuire les aubergines jusqu'à ce qu'elles soient assez souples pour en faire des rouleaux (5 ou 6 minutes). Transférer sur un linge à vaisselle pour égoutter. Pendant ce temps, préchauffer le gril du four. Couper les poivrons rouges en 2 dans le sens de la longueur et extraire les pépins. Déposer sur une plaque à biscuits en posant la surface coupée vers le bas. Faire griller au four jusqu'à ce que la peau noircisse et cloque. Retirer du four, couvrir

avec du papier aluminium et laisser refroidir 10 minutes. Peler les poivrons et trancher. Mélanger les tranches de poivron, la chapelure, 1/4 de tasse de fromage pecorino, les noix de pin et 1 c. à soupe d'huile d'olive. Bien mélanger. Faire chauffer 1 c. à soupe de l'huile qui reste, ajouter l'ail et faire sauter pendant 1 minute. Ajouter le mélange de poivrons et assaisonner de sel et de poivre. Préchauffer le four à 375 °F. Huiler une plaque à biscuits. Étaler les tranches d'aubergine sur une surface de travail. Répartir une mince couche de chapelure sur les tranches. Déchirer les feuilles de basilic en petits morceaux et répartir également sur la chapelure. Rouler chaque tranche pour former un cylindre et déposer sur la plaque en posant l'ouverture vers le bas. Badigeonner également les rouleaux avec 2 c. à soupe d'huile d'olive et verser quelques gouttes de vinaigre. Faire cuire les aubergines jusqu'à ce qu'elles soient tendres lorsque piquées avec une fourchette (1 heure). Retirer du four et saupoudrer également avec 1/2 tasse de fromage pecorino et du persil. Servir chaud ou froid.

# Salade-repas de légumineuses
### Donne 4 portions

## INGRÉDIENTS

2 gousses d'ail émincées
1/2 tasse de persil frais
1 boîte de 540 ml (19 oz)
de haricots mélangés (rouges,
de Lima, pois chiches...)
1 c. à soupe d'origan frais
ou séché

1 c. à soupe de basilic frais
ou séché
2 tomates en quartiers
4 c. à soupe d'huile d'olive
1 c. à soupe de
vinaigre balsamique
Sel et poivre

## PRÉPARATION

Mélanger tous les ingrédients et déguster.

### SAVIEZ-VOUS QUE ?
Cette recette se transporte tellement facilement qu'elle fait des lunchs du midi délicieux et nourrissants. Ceux et celles qui ont encore du dédain envers les légumineuses devraient essayer cette recette en accompagnement d'abord. Ils en seront chavirés !

### VARIANTE
Ajouter un petit oignon coupé finement. Remplacer le persil par de la laitue fraîche. Ajouter une boule de fromage bocconcini, ou un fromage au choix, pour un repas plus nutritif.

# Chapitre VI

# Le fameux tofu

Le tofu est un aliment encore méconnu, bien que son mystère s'étiole peu à peu. Chaque portion de tofu ferme contient plus de 15 g de protéines et une quantité très faible de matières grasses, ce qui en fait un aliment exceptionnel. C'est vrai, ça ne goûte pas grand-chose comme ça, tout seul. C'est pourquoi il faut l'accompagner avec soin !

# Chili piquant au tofu
## Donne 4 portions

**INGRÉDIENTS**

1 paquet de 450 g (1 lb) de
tofu ferme
1 gousse d'ail émincée
1 c. à soupe de poudre de chili
2 c. à soupe de
sauce Worcestershire
2 c. à soupe d'huile d'olive
1 gros oignon, en dés
1 poivron vert, en dés
1 carotte, en dés
2 1/2 tasses de sauce tomate
2 tomates hachées
3/4 tasse de pâte de tomates
2 tasses de haricots rouges
1/2 c. à thé de basilic séché
1 c. à thé de cumin moulu
1 c. à thé de piment de Cayenne
1 c. à thé de cassonade
Sel au goût

PRÉPARATION

Dans un grand bol, émietter le tofu et ajouter l'ail, la poudre de chili et la sauce Worcestershire. Réserver. Dans une poêle, chauffer l'huile et faire sauter l'oignon, le poivron vert et la carotte environ 5 minutes. Verser le mélange de tofu et réchauffer le tout. Ajouter la sauce tomate, les tomates, la pâte de tomates, les haricots, le basilic, le cumin, le piment de Cayenne, la cassonade et le sel. Couvrir et laisser mijoter environ 30 minutes. Servir chaud avec un pain pita.

SAVIEZ-VOUS QUE ?
Les tomates contiennent beaucoup d'anti-oxydants, mais il faut les chauffer pour que ces derniers soient actifs.

157

# Cocktail santé d'été

### Donne 4 grands verres

## INGRÉDIENTS

- 2 c. à soupe de graines de lin
- 1 paquet de 225 g (1/2 lb) de tofu soyeux (mou)
- 1 tasse de fraises congelées
- 2 bananes
- 1/4 tasse de jus d'orange
- 1/4 tasse de sirop d'érable

## PRÉPARATION

Faire tremper des graines de lin dans un peu d'eau 30 minutes. Dans un mélangeur ou un robot, mélanger le tofu, les fraises congelées et les bananes. Battre à grande vitesse en adjoignant le jus d'orange et le sirop d'érable. Ajuster les quantités au goût. Verser les graines de lin trempées à la fin. Verser dans des verres et déguster immédiatement.

### VARIANTES

On peut remplacer les fraises par n'importe quels fruits congelés : pêches, mangues, bleuets, framboises, canneberges, etc. Essayer aussi avec diverses saveurs de jus, pour allonger la boisson à la texture désirée.

### SAVIEZ-VOUS QUE ?

En utilisant des fruits congelés, on obtient un jus très frais sans avoir à y ajouter des glaçons. Les plus jeunes apprécieront peut-être moins la présence de graines de lin dans leur verre.

# Fricassée à la saucisse
Donne 4 portions

## INGRÉDIENTS

3 c. à soupe d'huile d'olive
3 gousses d'ail émincées
1 oignon, en dés
2 branches de céleri, en dés
3 tasses de pommes de terre
pelées, en petits cubes
4 saucisses au tofu, en rondelles
1 poivron en cubes
Sel et poivre au goût
3 c. à soupe de persil haché

## PRÉPARATION

Faire chauffer l'huile dans un chaudron et y dorer l'ail et l'oignon. Ajouter le céleri et les pommes de terre et laisser frémir 15 minutes. Incorporer les saucisses, le poivron, le sel et le poivre, puis laisser cuire 10 minutes. Assaisonner et mélanger. Servir chaud et saupoudré de persil.

# Frites de tofu à la chinoise
### Donne 4 portions

## INGRÉDIENTS

1/4 tasse d'huile d'olive

1/4 c. à thé de piments broyés

1 paquet de 450 g (1 lb) de tofu ferme, en bâtonnets

2 c. à soupe de coriandre fraîche, hachée

2 c. à soupe de sauce tamari

2 c. à soupe d'huile d'arachide

2 c. à soupe de vinaigre de riz

Sel au goût

## PRÉPARATION

Chauffer l'huile d'olive avec les piments broyés dans une poêle. Y faire frire le tofu quelques secondes de chaque côté. Une fois cuit, déposer le tofu sur des essuie-tout pour imbiber le surplus d'huile. Dans un bol, préparer une sauce avec la coriandre, le tamari, l'huile d'arachide et le vinaigre de riz. Servir les bâtonnets chauds nappés de sauce. Saler.

# Légumes sautés au tofu
## Donne 4 portions

## INGRÉDIENTS

2/3 tasse d'huile de tournesol

1/4 tasse de sauce soya ou tamari

4 gousses d'ail émincées

1 c. à thé de coriandre

1 c. à thé de cumin moulu

1 c. à thé de gingembre moulu

Poivre au goût

1 paquet de 450 g (1 lb) de tofu ferme nature, en morceaux

1 c. à soupe d'huile végétale

1 oignon haché

2 branches de céleri tranchées

1 boîte de 398 ml (14 oz) d'épis de maïs miniatures

1 poivron rouge, en cubes

2 tasses de pois mange-tout

1 1/2 tasse de haricots germés

## PRÉPARATION

Préparer une marinade en mélangeant l'huile de tournesol, la sauce soya ou tamari, l'ail, la coriandre, le cumin, le gingembre et le poivre. Y faire tremper les morceaux de tofu et réfrigérer au moins 30 minutes. Égoutter en réservant 3 c. à soupe de marinade. Verser l'huile végétale dans une poêle et y faire revenir l'oignon, le céleri, les épis de maïs miniatures et le poivron. Ajouter le tofu et verser la marinade réservée. À la fin de la cuisson, ajouter les pois mange-tout et les fèves germées. Laisser les couleurs ressortir vivement en 4 ou 5 minutes. Servir chaud.

# Macaronis végétariens
## Donne 4 portions

## INGRÉDIENTS

        1 tasse de sauce tamari
        2 c. à thé d'origan frais, haché
        2 c. à thé de basilic frais, haché
        2 c. à thé de persil plat frais, haché
        1 paquet de 225 g (1/2 lb) de tofu ferme
        1 c. à soupe d'huile d'olive
        1/2 poivron vert, en dés
        1/2 poivron rouge, en dés
        1 oignon, en dés
        1 gousse d'ail émincée
        1 tasse de champignons blancs en morceaux
        2 branches de céleri, en lamelles
        2 tasses de tomates, en dés avec leur jus
        1 tasse de jus de tomate
        5 c. à soupe de pâte de tomates
        2 tasses de sauce tomate
        Sel et poivre au goût
        2 tasses de macaronis non cuits

## PRÉPARATION

Verser la sauce tamari dans un bol et mélanger avec l'origan, le basilic et le persil. Y laisser mariner le tofu pendant 2 heures. Égoutter et réserver le liquide. Dans un chaudron, chauffer l'huile d'olive et y faire sauter le tofu mariné. Ajouter les poivrons, l'oignon, l'ail, les champignons et le céleri. Laisser cuire

2 minutes, puis ajouter les tomates, le jus de tomate, la pâte de tomates et la sauce tomate. Porter à ébullition, assaisonner (on peut ajouter 15 à 30 ml / 1 ou 2 c. à soupe de la sauce réservée) et laisser mijoter 2 heures à feu moyen. Servir chaud sur un lit de macaronis.

SAVIEZ-VOUS QUE ?
On peut réserver le mélange de sauce tamari et de fines herbes en vue d'une prochaine utilisation.

# Pot-au-feu végétarien
## Donne 4 portions

### INGRÉDIENTS

1 tasse de haricots rouges secs

1 1/2 tasse d'un mélange de riz blanc et brun

2 c. à soupe d'huile d'olive

1 oignon, en petits dés

1 gousse d'ail émincée

450 g de tofu ferme, en cubes

1/4 tasse d'amandes émincées

1 branche de céleri, en dés

1 carotte en rondelles

2 pommes de terre, en petits cubes

2 tasses de haricots verts ou jaunes, en morceaux

1 tasse de bouillon de légumes

Poivre et sel au goût

1 c. à soupe de farine

### PRÉPARATION

Faire tremper les haricots rouges environ 90 minutes, puis les mettre à mijoter à feu doux autant de temps. Pendant ce temps, faire tremper le riz environ 1 heure avant de le mettre à cuire. Dans un grand chaudron, faire suer l'oignon et l'ail dans l'huile d'olive. Ajouter les autres ingrédients un après l'autre, sauf la farine. Mélanger, couvrir et laisser cuire 15 minutes. Incorporer la farine afin d'épaissir la sauce, et rectifier l'assaisonnement. Verser les haricots cuits et cuire encore 5 minutes. Servir chaud sur un lit de riz.

# Salade grecque

### Donne 4 portions

## INGRÉDIENTS

1 paquet de 225 g (1/2 lb) de tofu soyeux (mou)

1/4 tasse de vinaigre de vin rouge

1/3 tasse d'huile d'olive

1 gousse d'ail émincée

1 c. à thé d'origan frais, haché

1 c. à soupe de basilic frais, haché

1/4 c. à thé de cassonade

Sel et poivre au goût

2 concombres épépinés, en cubes

2 tomates, en cubes

2 poivrons verts, en cubes

1/2 oignon blanc, en cubes

1/2 tasse de persil frais, haché

1 tasse d'olives noires

## PRÉPARATION

Faire la vinaigrette au robot culinaire en mélangeant le tofu, le vinaigre, l'huile d'olive, l'ail, l'origan, le basilic, la cassonade, le sel et le poivre. Réserver. Dans un bol à salade, mélanger les légumes, puis verser la vinaigrette.

# Salade tiède de tofu
### Donne 4 portions

## INGRÉDIENTS

6 c. à soupe d'huile d'olive

1 oignon émincé

1 poivron rouge émincé

1 c. à thé de gingembre frais, râpé

2 gousses d'ail émincées

1 paquet de 450 g (1 lb) de tofu ferme, en dés

1/3 tasse de noix de cajou entières

Jus de 1 orange

2 c. à soupe de vinaigre à l'estragon

2 c. à soupe de sauce sichuanaise

4 tasses de laitue

2 tomates coupées, en tranches

1 petit radicchio déchiqueté

Jus de 1/2 citron

Sel et poivre au goût

4 radis tranchés

## PRÉPARATION

Dans une poêle, chauffer 2 c. à soupe d'huile et y dorer l'oignon, le poivron, le gingembre et l'ail. Ajouter le tofu et les noix de cajou, puis le jus d'orange, le vinaigre et la sauce sichuanaise. Laisser mijoter doucement 5 minutes. Dans des assiettes, déposer de la laitue mêlée de radicchio et garnisser avec les tranches de tomates. Fouetter, dans un petit bol (4 c. à soupe) d'huile d'olive et le jus de citron. Verser sur la laitue. Déposer le mélange de tofu tiède sur la laitue. Assaisonner et garnir de tranches de radis.

# Sauce pour pâtes au tofu
Donne 4 portions

## INGRÉDIENTS

2 c. à soupe d'huile d'olive
1 oignon haché
2 gousses d'ail émincées
1 paquet de 450 g (1 lb) de
tofu ferme, émietté
2 carottes, en cubes
2 branches de céleri, en cubes
1 boîte de 156 ml (5 1/2 oz)
de pâte de tomates
3 tasses de tomates, en
dés avec leur jus
1 tasse de cocktail de légumes
1 c. à thé d'origan frais, haché
1 c. à thé de basilic frais, haché
1/2 c. à thé de thym frais
1/4 c. à thé de piments broyés
Sel et poivre au goût

## PRÉPARATION

Dans un chaudron, chauffer l'huile et
y dorer l'oignon et l'ail. Ajouter le tofu,
les carottes et le céleri, puis cuire
5 minutes. Ajouter les autres ingrédients, assaisonner au goût, couvrir et
laisser cuire 30 minutes. Servir sur un
lit de pâtes au choix.

# Succulent chop suey
## Donne 4 portions

### INGRÉDIENTS

3 carottes en rondelles
1 tasse de navet, en cubes
1 tasse de chou vert frisé, émincé
2 tasses de bouquets de brocoli
3 c. à soupe d'huile d'olive
1 oignon, en dés
1 poivron vert haché
1 paquet de 225 g (1/2 lb) de
tofu ferme, en cubes
1 tasse d'eau
8 tasses de haricots
germés
1 c. à thé de basilic
1 c. à thé de thym
Sel et poivre au goût
3 c. à soupe ou plus de sauce soya ou tamari

### PRÉPARATION

Faire cuire à la marguerite les carottes, le navet, le chou et le brocoli. Verser l'huile dans une grande casserole. Y faire revenir l'oignon et le poivron. Ajouter le tofu et les légumes cuits à la marguerite. Verser l'eau et combiner les haricots germés. Assaisonner des herbes, du sel et poivre, et de la sauce soya.

> VARIANTE
> Pour un repas plus soutenant, servir le chop suey sur un lit de riz.

# Tofu en ratatouille

Donne 4 portions

## INGRÉDIENTS

6 c. à soupe d'huile d'olive

3 gousses d'ail émincées

1 oignon jaune, en dés

1 aubergine, en cubes

1 c. à thé de thym

1 feuille de laurier

1 poivron rouge épépiné, en dés

1 poivron jaune épépiné, en dés

1 courgette, en cubes

4 tomates pelées et épépinées, en dés

Sel et poivre au goût

1 paquet de 450 g (1 lb) de tofu ferme, en dés

## PRÉPARATION

Dans une poêle, chauffer 60 ml (4 c. à soupe) d'huile et y dorer l'ail et l'oignon. Ajouter les morceaux d'aubergine avec le thym et la feuille de laurier, puis laisser mijoter 10 minutes. Joindre les poivrons et poursuivre la cuisson 5 minutes. Faire cuire 5 minutes de plus avec la courgette et les tomates. Assaisonner et réserver. Chauffer 30 ml (2 c. à soupe) d'huile et y faire frire les dés de tofu 2 ou 3 minutes avant de les ajouter aux légumes. Servir chaud avec des pommes de terre ou du pain complet.

# Tofu mariné à l'érable

Donne 4 portions

## INGRÉDIENTS

1/3 tasse de sauce tamari
1 tasse d'eau
1/2 tasse de sirop d'érable
2 c. à thé de gingembre
frais râpé
2 gousses d'ail émincées
Sel et poivre au goût
1 paquet de 450 g (1 lb) de
tofu, en cubes

## PRÉPARATION

Dans un bol moyen, fouetter ensemble
tous les ingrédients sauf le tofu.
Déposer dans la marinade les cubes
de tofu. Laisser reposer 4 heures.

# Chapitre VII

# Les desserts
# et petits à-côtés

Comment oublier les desserts et ces petits en-cas qui font tant de bien ? Voici une autre façon de voir le végétarisme : avec la dent sucrée ! Mais attention : si le végétarisme consiste à manger sans consommer de produits animaux, il ne faudrait pas se limiter à une alimentation faite de sucre raffinée. Heureusement, on trouve facilement des sucres bruns de qualité dans les épiceries. Et n'oubliez pas de consommer des fruits frais chaque jour. Chacun représente une petite fiole de vie... pour pas cher !

# Barres tendres maison au beurre d'arachide

### Donne environ 16 barres

## INGRÉDIENTS

1/3 tasse de cassonade

3 c. à soupe de sirop de maïs

2 c. à soupe de beurre d'arachide

2 c. à soupe de margarine

1/2 tasse de beurre d'arachide

2 tasses de céréales à déjeuner au choix

2 c. à soupe de confiture de fraises ou de framboises

## PRÉPARATION

Dans un grand bol, mélanger la cassonade, le sirop de maïs, 2 c. à soupe de beurre d'arachide et la margarine. Incorporer les céréales et mélanger. Presser ce mélange au fond d'un moule carré de 20 cm (8 po) graissé. Cuire à 375 °F pendant 10 minutes. Chauffer légèrement 1/2 tasse de beurre d'arachide et l'étendre sur le fond de céréales. Verser la confiture au-dessus et l'étendre le plus uniformément possible. Réfrigérer 10 minutes avant de façonner les barres.

### SAVIEZ-VOUS QUE ?

La plupart des céréales à déjeuner peuvent être utilisées pour cette recette, sauf les mélanges trop sucrés ou d'une couleur douteuse.

# Biscuits Oréos
## Donne 32 biscuits

### INGRÉDIENTS

### PÂTE

1 1/3 tasse de poudre de cacao soluble
1 1/2 tasse de farine (tout usage) et un peu plus pour saupoudrer
1/4 de c. à thé de sel
1 tasse de beurre ramolli
2 tasses de sucre granulé
2 gros œufs
1 c. à thé d'extrait de vanille

### CRÉMAGE

1/2 tasse de beurre non salé ramolli
1/2 tasse de graisse végétale
3 tasses de sucre glace tamisé
1 c. à thé d'extrait de vanille

### PRÉPARATION

Préparer la pâte en tamisant ensemble la poudre de cacao, la farine et le sel dans un grand bol. Dans un batteur, mélanger le beurre et le

173

sucre pour obtenir une pâte crémeuse. Ajouter les œufs (1 à la fois) puis incorporer la vanille. Ajouter le mélange d'ingrédients secs. Diviser la pâte en deux : placer une portion entre deux feuilles légèrement farinées de papier ciré et former un rectangle de 5 mm d'épaisseur. Répéter l'opération avec l'autre portion de pâte. Réfrigérer les deux rectangles de pâte en les recouvrant de papier ciré pendant 1 heure jusqu'à ce qu'ils soient fermes. À l'aide d'un emporte-pièce rond de 5 cm, couper la pâte pour former 64 cercles. Déposer les biscuits sur des plaques à biscuits non graissées en les espaçant de 5 cm. Réfrigérer pendant 20 minutes. Préchauffer le four à 325 °F. Faire cuire les biscuits jusqu'à ce que les contours soient légèrement plus foncés (20 minutes). Laisser refroidir complètement. Pendant ce temps, préparer le crémage des biscuits en mélangeant le beurre et la graisse végétale à l'aide d'un batteur jusqu'à l'obtention d'une préparation légère et crémeuse. Incorporer le sucre glace et la vanille puis battre le tout. Retourner la moitié des biscuits à l'envers et couvrir chacun d'eux avec 1 c. à thé de crémage. Poser les autres biscuits sur le dessus du crémage en pressant légèrement pour former des sandwichs.

# Bol de melons
Donne de 4 à 6 portions

## INGRÉDIENTS

1/2 melon d'eau
1/4 cantaloup, en cubes
1/4 melon miel, en cubes
4 à 6 fraises, en morceaux
1/4 tasse de bleuets
1/2 tasse de jus d'orange
1 cannette de 355 ml (12 oz) de boisson gazeuse à la lime

## PRÉPARATION

Prendre un melon d'eau coupé en deux parties et le vider de sa chair. Entailler le bout de la carapace du melon de sorte qu'il tienne comme un bol sur une surface plane. Couper en cubes la moitié de la chair de melon d'eau. Garder l'autre moitié pour une autre recette ou un autre service. Déposer dans le « bol » la chair de melon d'eau, le cantaloup, le melon miel, les fraises et les bleuets. Verser le jus et la boisson gazeuse, mélanger et réfrigérer. Servir frais.

# Carrés aux dattes
Donne 12 carrés

## INGRÉDIENTS

     1 1/2 tasse de dattes hachées
     1 tasse de farine de blé entier
     1/2 tasse de farine blanche à pâtisserie
     1 1/2 tasse de flocons d'avoine
     1 tasse de cassonade non tassée
     1 c. à thé de levure chimique (poudre à pâte)
     1 c. à thé de sel de mer fin
     1 tasse de margarine

## PRÉPARATION

Déposer les dattes dans un petit chaudron. Couvrir d'eau, porter à ébullition puis faire cuire à feu doux 5 minutes. Égoutter et réserver. Mélanger les farines, les flocons d'avoine, la cassonade, la levure chimique et le sel. Dans un grand bol, ramollir la margarine à la fourchette et incorporer les ingrédients secs. Préparer un plat allant au four en l'enduisant de margarine. Déposer la moitié de la pâte d'avoine au fond. Verser les dattes, puis le reste de la pâte. Cuire au four à 350 °F 35 minutes. Laisser refroidir avant de servir.

# Compote de pommes et de poires

## INGRÉDIENTS

5 pommes pelées, en dés
2 poires rouges pelées, en dés
1/2 tasse de jus de pomme pur
2 c. à soupe de sirop d'érable
1/2 tasse de raisins secs

## PRÉPARATION

Déposer les morceaux de pommes et de poires dans un chaudron. Ajouter le jus de pomme et le sirop d'érable, couvrir et porter à ébullition. Baisser le feu et laisser cuire 10 minutes. Écraser les fruits à l'aide d'un pilon, puis remettre sur le feu 5 autres minutes en mélangeant et en écrasant les fruits. Poursuivre la cuisson jusqu'à l'obtention d'une consistance onctueuse. Ajouter les raisins secs et laisser refroidir lentement, dans le chaudron encore chaud. Servir après avoir réfrigéré.

### VARIANTES

Il est possible de remplacer le sirop d'érable par du miel et les raisins secs par des bleuets, par exemple. À ce moment, il est préférable de mettre les bleuets à cuire avec les autres fruits. On peut en fait utiliser n'importe quel petit fruit (canneberge, fraise...) à la place des raisins secs. Ajuster cependant le sucre, au goût.

# Confiture de prunes

INGRÉDIENTS

3 tasses de prunes noires dénoyautées, en dés
1/3 tasse de cassonade
1/3 tasse d'eau
2 c. à soupe de jus de citron
2 c. à soupe de sirop de maïs

PRÉPARATION

Dans un chaudron, à feu moyen-vif, porter à ébullition les prunes, la cassonade, l'eau et le jus de citron. Baisser le feu et laisser mijoter en écrasant les fruits à la fourchette. Mélanger ainsi durant 15 minutes ou jusqu'à épaississement du sirop. Retirer du feu et ajouter le sirop de maïs. Verser dans un pot et laisser refroidir avant de réfrigérer.

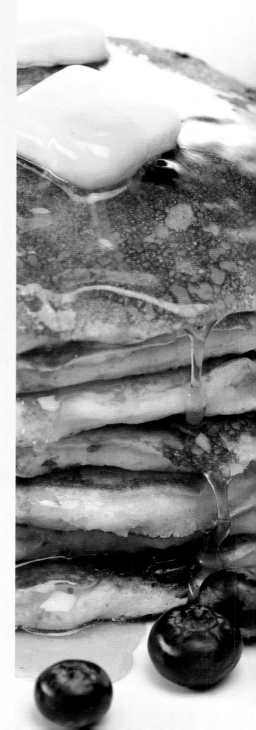

# Crêpes aux graines de lin et aux bleuets
Donne 12 portions

## INGRÉDIENTS

1 1/2 tasse de mélange à crêpes sec
1/2 tasse de graines de lin
1 tasse de lait écrémé
2 œufs
1 tasse de bleuets frais ou surgelés

## PRÉPARATION

Faire chauffer une poêle antiadhésive à feu moyen. Verser le mélange à crêpe et les graines de lin dans un bol, puis dans un autre bol ou une tasse à mesurer fouetter le lait et les œufs. Incorporer les ingrédients liquides aux ingrédients secs et remuer jusqu'à ce que la préparation soit humide. Verser 1/4 de tasse de pâte dans une poêle bien chaude. Recouvrir de bleuets (autant que vous le désirez). Faire cuire jusqu'à ce que des bulles se forment à la surface, puis retourner et faire cuire jusqu'à ce que l'autre côté soit doré.

179

# Crêpes aux pommes
## Donne 2 à 4 portions

INGRÉDIENTS

> 4 c. à soupe de beurre non salé fondu
> 1 pomme golden delicious et coupée en tranches
> 1/2 c. à thé de cannelle moulue
> 1 c. à soupe de sucre granulé
> 2 œufs à température ambiante
> 1/2 tasse de lait
> 1/2 tasse de farine (tout usage)
> 1/2 c. à thé de sel
> Sucre glace pour décorer

PÉPARATION

Préchauffer le four à 400 °F. Badigeonner une poêle de 25 cm avec du beurre. Dans une autre poêle, faire fondre 2 c. à soupe de beurre. Ajouter les pommes, la cannelle et le sucre granulé et faire sauter de 5 à 6 minutes en remuant de temps à autre jusqu'à ce que les pommes deviennent tendres et dorées. Réserver. Dans un bol, battre les œufs à l'aide d'un fouet. Ajouter le lait et fouetter jusqu'à ce que le tout soit bien mélangé. Tamiser la farine et le sel dans le mélange d'œufs et fouetter pour bien mélanger. Faire fondre le reste du beurre dans une petite casserole à feu moyen-doux. Verser le beurre dans le mélange d'œufs et fouetter jusqu'à ce que la préparation soit lisse. Verser la pâte dans la poêle graissée à l'avance et disposer les tranches de pommes sur le dessus. Faire cuire jusqu'à ce que la crêpe soit dorée et gonflée. Saupoudrer de sucre glace et servir immédiatement.

# Crêpes de sarrasin aux pommes pochées
## Donne 4 portions

### INGRÉDIENTS

4 pommes rouges, en gros quartiers (laisser la pelure)

2 1/2 tasses de cidre

2 tasses d'eau

1 tasse de farine de sarrasin

1 c. à thé de bicarbonate de soude

4 c. à soupe d'eau

### PRÉPARATION

Déposer les pommes dans un chaudron et y verser le cidre et l'eau. Amener à ébullition. Baisser le feu et laisser mijoter, à couvert, de 20 à 25 minutes. Égoutter en gardant le jus. Faire réduire le liquide pendant 20 minutes ou jusqu'à ce qu'il en reste environ 125 ml (1/2 tasse). Retirer le sirop du feu et laisser refroidir. Préparer la crêpe en mélangeant la farine de sarrasin, le bicarbonate de soude et l'eau (on peut ajuster la quantité d'eau pour obtenir la consistance voulue). Étendre une

181

mince couche sur une poêle en fonte. Étendre la crêpe sur une assiette réchauffée, y ajouter l'équivalent d'une pomme en quartiers, rouler et verser le sirop. Manger chaud.

VARIANTE
Si désiré, on peut toujours fouetter un peu de crème pour garnir la crêpe.

# Croustade aux canneberges
### Donne de 4 à 6 portions

## INGRÉDIENTS

3 tasses de pommes pelées, en dés

Jus de 1 citron

1/2 tasse de canneberges fraîches

1/2 tasse de cassonade

1 1/2 c. à thé de cannelle

1/3 tasse de farine de blé entier

1/3 tasse de gruau

1/4 tasse de germe de blé

3 c. à soupe de margarine

## PRÉPARATION

Préchauffer le four à 375 °F. Déposer les pommes dans un grand bol et les arroser de jus de citron. Ajouter les canneberges, 1/4 tasse de cassonade 1 c. à thé de cannelle. Graisser un moule carré de 20 cm (8 po) et y verser ce mélange. Dans un autre bol, mélanger la farine, le gruau, le germe de blé, 1/4 tasse de cassonade et 1/2 c. à thé de cannelle. Incorporer la margarine à la fourchette. Étendre la farine sur les fruits. Cuire au four 30 minutes. Servir chaud ou refroidi.

## VARIANTES

Varier les petits fruits en utilisant des bleuets, des mûres ou des fraises. On peut aussi les faire cuire avant de préparer le mélange de fruits. Dans ce cas, verser un peu d'eau dans un petit chaudron et ajouter un peu de sucre. Laisser « exploser » les petits fruits, puis laisser refroidir.

# Délice aux pêches grillées
## Donne 4 portions

## INGRÉDIENTS

6 pêches bien mûres
coupées en 2 et dénoyautées
8 c. à soupe de beurre non
salé fondu
8 c. à soupe de cassonade pâle
1 c. à thé de cannelle moulue
1/2 tasse de céréales granolas
1 pot de crème glacée à la vanille
1/2 tasse de sauce au caramel
préparée et chauffée

## PRÉPARATION

Faire chauffer le gril. Déposer les pêches sur le gril en s'assurant de mettre le côté tranché vers le bas et faire dorer. Retirer du gril, couper en pointes et déposer dans un plat à gratin. Verser la moitié du beurre sur les pêches puis la moitié de la cassonade et la moitié de la cannelle et bien remuer le tout. Verser le reste du beurre, du sucre et de la cannelle dans un bol avec les céréales granolas et bien mélanger en ajoutant plus de beurre, au besoin. Couvrir les pêches avec le mélange de granolas et déposer le plat à gratin sur le gril. Couvrir et faire cuire jusqu'à ce que les pêches et les céréales soient dorées (environ 15 minutes). Verser 1 grosse cuillérée de crème glacée dans 4 bols et couvrir avec le mélange de pêches puis arroser le tout de sauce au caramel.

# Gaufres de Bruxelles
## Donne 10 portions

## INGRÉDIENTS

1 paquet (700 g) de levure
sèche active
1/4 de tasse de lait chaud
3 œufs
2 3/4 tasses de lait chaud
3/4 de tasse de beurre fondu et tiède
1/2 tasse de sucre blanc
1 1/2 c. à thé de sel
2 c. à thé d'extrait de vanille
4 tasses de farine (tout usage)

## PRÉPARATION

Dans un petit bol, dissoudre la levure dans 1/4 de tasse de lait chaud. Laisser reposer jusqu'à ce que le mélange soit crémeux (environ 10 minutes). Dans un grand bol, fouetter les jaunes d'œuf, 1/4 de tasse de lait chaud et le beurre fondu. Incorporer le mélange de levure, le sucre, le lait et la vanille. Verser les 2 1/2 tasses de lait qui restent en alternant avec la farine et en terminant avec la farine. Battre les blancs d'œuf jusqu'à ce que des pics mous se forment, puis les incorporer dans la préparation. Couvrir le bol avec une pellicule plastique. Laisser lever la pâte dans un endroit chaud jusqu'à ce qu'elle ait doublé de volume (environ 1 heure). Préchauffer le gaufrier. Badigeonner d'huile et verser environ 1/2 tasse (ou la quantité recommandée par le fabricant) au centre du gaufrier. Fermer le couvercle et faire cuire jusqu'à ce le gaufrier cesse de faire de la vapeur et que la gaufre soit dorée. Servir immédiatement ou garder au chaud dans le four à 200 °F.

# Gelée aux fruits frais
### Donne 4 portions

### INGRÉDIENTS

1 c. à soupe de gélatine
1 1/2 tasse de jus d'orange
1/2 tasse d'eau bouillante
1 banane, en rondelles
8 raisins rouges tranchés
1/2 poire fraîche, en morceaux
Chair de 1/4 cantaloup en petits cubes

### PRÉPARATION

Dans une grande tasse à mesurer, mélanger la gélatine et le jus d'orange. Laisser prendre quelques minutes, puis verser l'eau bouillante afin de faire fondre la gélatine. Couper les fruits et les répartir dans des bols à dessert. Verser le liquide sur les fruits et réfrigérer 1 heure avant de servir.

### SAVIEZ-VOUS QUE ?
On n'est pas obligé d'utiliser une tasse à mesurer pour faire cette recette, mais ça va beaucoup mieux ainsi pour verser le jus sur les fruits.

187

# Muffins aux bleuets

## Donne 10 portions

### INGRÉDIENTS

**PÂTE**

> 1 1/2 tasse de farine
> (tout usage)
> 3/4 de tasse de sucre blanc
> 1/2 c. à thé de sel
> 2 c. à thé de levure chimique
> 1/3 de tasse d'huile végétale
> 1 œuf
> 1/3 de tasse de lait
> 1 tasse de bleuets frais

**GARNITURE**

> 1/2 tasse de sucre blanc
> 1/3 de tasse de farine
> (tout usage)
> 1/4 de tasse de beurre coupé
> en dés
> 1 1/2 c. à thé de
> cannelle moulue

## PRÉPARATION

Préchauffer le four à 400 °F. Graisser des moules à muffins avec de l'aérosol de cuisson ou utiliser des moules de papier. Mélanger 1 1/2 tasse de farine, 3/4 de tasse de sucre, le sel et la levure chimique. Verser l'huile végétale dans une tasse à mesurer et ajouter l'œuf et assez de lait pour remplir la tasse. Incorporer aux ingrédients secs puis ajouter les bleuets. Remplir complètement les moules et saupoudrer de garniture croustillante. Pour faire la garniture croustillante, mélanger 1/2 tasse de sucre, 1/3 de tasse de farine, 1/4 de tasse de beurre et 1 1/2 c. à thé de cannelle moulue avec une fourchette et verser sur les muffins avant de les faire cuire. Laisser cuire au four jusqu'à ce que les muffins soient prêts (20 à 25 minutes).

# Pâte amusante à la pomme
Donne de 16 à 24 morceaux

## INGRÉDIENTS

    2 1/2 tasses de pommes pelées, en dés
    1/2 tasse d'eau
    1 tasse de sucre
    1/4 c. à thé de cannelle moulue
    1/4 c. à thé de muscade moulue
    1/2 c. à thé de clou de girofle moulu
    1 c. à soupe de jus de citron
    1 c. à soupe d'huile végétale
    Sucre et sucre à glacer, pour saupoudrer

## PRÉPARATION

Dans un grand chaudron, porter à ébullition les pommes et l'eau. Laisser cuire à découvert environ 5 minutes, puis égoutter. Presser pour éliminer toute l'eau. Remettre les pommes dans un chaudron propre et ajouter le sucre, la cannelle, la muscade, le clou de girofle et le jus de citron. Laisser cuire à feu doux 10 minutes, ou jusqu'à l'obtention d'une purée épaisse. Huiler un moule carré, saupoudrer de sucre et verser la purée de pommes en la répartissant uniformément à l'aide d'un couteau. Saupoudrer de sucre et réfrigérer au moins 1 heure. Couper en carrés et saupoudrer légèrement de sucre à glacer.

# Pommes au four
### Donne 4 portions

## INGRÉDIENTS

4 grosses pommes rouges
1/3 tasse de margarine molle
1/3 tasse de cassonade
1/3 tasse de noisettes moulues
1/4 c. à thé de cannelle
2 c. à soupe de raisins secs

## PRÉPARATION

Retirer le cœur des fruits sans les couper entièrement, en formant un puits au centre. Mélanger la margarine, la cassonade, les noisettes, la cannelle et les raisins secs à la fourchette. Placer ce mélange dans le trou creusé au centre de chaque pomme. Cuire au four à 350 °F de 25 à 30 minutes. Servir chaud.

SAVIEZ-VOUS QUE ?
Les amateurs de crème glacée s'en voudront de ne pas accompagner cette pomme chaude et sucrée d'une boule à la vanille.

# Pouding au chocolat

### Donne 4 portions

## INGRÉDIENTS

3 c. à soupe de graisse végétale
1 tasse de farine de blé entier à pâtisserie
1 pincée de sel
2 c. à thé de levure chimique (poudre à pâte)
3/4 tasse de fructose
4 c. à soupe de poudre de cacao
1/4 tasse de lait de soja à la vanille
1 3/4 tasse d'eau
3/4 tasse de cassonade non tassée

## PRÉPARATION

Dans un bol, défaire la graisse et y ajouter la farine, le sel, la levure chimique, le fructose et 2 c. à soupe de cacao. Bien mélanger, puis verser le lait de soja. Déposer dans un plat graissé allant au four, et réserver. Dans un petit chaudron, faire bouillir l'eau, puis y verser la cassonade et 2 c. à soupe de cacao. Laisser frémir 1 ou 2 minutes, de façon à ce que le tout forme un sirop sans grumeaux. Verser chaud sur la pâte à gâteau. Enfourner immédiatement à 350 °F pour 40 minutes.

### SAVIEZ-VOUS QUE ?
À la place du lait de soja à la vanille, on peut utiliser du lait auquel on ajoute 1 c. à thé d'essence de vanille.

# Scones aux raisins et aux noix
## Donne 12 scones

## INGRÉDIENTS

2 tasses de farine (tout usage)

4 c. à soupe de sucre blanc

2 c. à thé de levure chimique

1/2 c. à thé de bicarbonate de soude

1/2 c. à thé de sel

1 c. à soupe de zeste de citron râpé

1/2 tasse de beurre coupé, en dés

3/4 de tasse de noix hachées

1/2 tasse de raisins secs

3/4 de tasse de babeurre

## PRÉPARATION

Mélanger la farine, le sucre, la levure, le bicarbonate de soude, le sel et le zeste de citron dans un grand bol. Couper grossièrement le beurre à l'aide de 2 couteaux ou d'un mélangeur. Incorporer dans le bol avec les autres ingrédients à l'exception de 2 c. à soupe de raisins secs et de noix. Incorporer le babeurre en mélangeant avec une fourchette. Faire une boule avec la pâte et pétrir pendant environ 2 minutes sur une surface légèrement farinée. Étaler la pâte pour obtenir une épaisseur de 1 cm. À l'aide d'un couteau de chef, couper la pâte en triangles de 7,5 cm. Déposer sur une plaque à biscuits graissée en les espaçant de 2,5 cm. Badigeonner la surface des triangles avec 1 c. à soupe de babeurre et couvrir le tout avec les raisins et les noix qui restent. Faire cuire au centre du four à 425 °F jusqu'à ce que les scones soient dorés (15 minutes). Servir avec du beurre ou de la confiture.

# Tarte au citron meringuée simple
### Donne 6 à 8 portions

## INGRÉDIENTS

1 boîte de lait concentré sucré
1/2 tasse de jus de citron
1 c. à thé de zeste de citron râpé
3 jaunes d'œufs
1 croûte de tarte de
23 cm précuite

## MERINGUE

3 blancs d'œufs
1/4 de c. à thé de crème
de tarte
1/4 de tasse de sucre

## PRÉPARATION

Mélanger le lait, le jus et le zeste de citron puis incorporer les jaunes d'œufs. Verser sur la croûte froide. Préchauffer le four à 325 °F. Battre les blancs d'œufs avec la crème de tartre jusqu'à ce que des pics mous se forment puis incorporer graduellement le sucre en continuant de fouetter le mélange jusqu'à ce qu'il soit ferme. Étaler la meringue sur la crème. Faire cuire jusqu'à ce que la meringue soit dorée (12 à 15 minutes).

# Tarte aux pommes

## INGRÉDIENTS

- 5 c. à soupe de margarine
- 2 c. à soupe d'huile d'olive
- 7 c. à soupe d'eau
- 1 tasse de farine de blé entier à pâtisserie
- 1 tasse de farine blanche
- 1 c. à thé de sel de mer
- 4 pommes pelées, en fines lanières
- Jus de 1 citron
- 3 c. à soupe d'eau
- 3 c. à soupe de cassonade

## PRÉPARATION

Fondre la margarine à feu doux. Incorporer l'huile et l'eau. Dans un bol, déposer la farine et le sel. Creuser un puits au centre de la farine. Y verser peu à peu le mélange de margarine fondue et l'incorporer à la farine avec une cuillère de bois. Une fois le gras absorbé, rouler la pâte de façon à la rendre homogène et non collante. Laisser reposer de 2 à 12 heures au réfrigérateur. Travailler la pâte afin de la rendre très mince. La piquer une fois bien aplatie. L'installer dans un moule et la faire cuire 5 minutes à 450 °F. Dans une assiette, étaler les pommes et les asperger de jus de citron. Éponger le surplus de liquide et déposer les pommes dans la pâte mi-cuite. Dans un petit bol, mélanger l'eau et la cassonade. Verser ce mélange sur les pommes et enfourner à 450 °F pendant 40 minutes. Vérifier la cuisson et servir chaud lorsque les pommes ont bien caramélisé.

VARIANTES

Remplacer les pommes par des poires et servir avec un filet de chocolat noir fondu dans un minuscule filet d'eau. Essayer aussi avec des pêches auxquelles on ajoutera quelques raisins secs.

# Tartelettes aux raisins secs et aux pacanes

## Donne 12 à 14 tartelettes

## INGRÉDIENTS

### PÂTE

1 1/4 tasse de graisse végétale
1/4 de tasse de beurre non salé
4 tasses de farine
(tout usage) non blanchie
1 1/2 c. à thé de sel
1/4 de tasse d'eau froide

### CRÈME

1/2 tasse de beurre
non salé ramolli
1 tasse de cassonade
1/2 c. à thé de sel
1 1/2 c. à thé de vinaigre
1 1/2 c. à thé de vanille
2 œufs
1 1/4 tasse de sirop de maïs
1/2 tasse de raisins secs
1/2 tasse de pacanes hachées

197

## PRÉPARATION

Préchauffer le four à 350 °F. Mélanger la graisse végétale et le beurre à la main ou à l'aide d'un batteur électrique jusqu'à l'obtention d'une texture crémeuse. Tamiser la farine et le sel. Mélanger jusqu'à ce que la préparation soit grumeleuse. Verser de l'eau froide pour former une pâte humide. Pétrir la pâte (30 secondes). Étaler la pâte entre deux feuilles de papier ciré jusqu'à l'obtention d'une épaisseur de 3 mm. Couper la pâte en cercles de 10 cm avant de les insérer dans des moules à muffins. Réfrigérer pendant 30 minutes. Mélanger le beurre, le sucre et le sel jusqu'à l'obtention d'une texture crémeuse. Ajouter le vinaigre, la vanille, les œufs et le sirop de maïs et mélanger délicatement. Réfrigérer pendant 30 minutes. Ajouter les pacanes et mélanger encore avant de remplir les tartelettes. Verser 1 c. à thé de raisins dans chaque croûte à tartelette puis déposer environ 1/4 de tasse du mélange de sirop dans chaque moule. Faire cuire de 25 à 30 minutes et laisser refroidir dans les moules. Laisser reposer 2 heures et réfrigérer pour accélérer le processus. Passer la lame d'un couteau tout autour des tartelettes pour les décoller des moules et faire sortir soigneusement les tartelettes.

# Thé glacé aux pommes
### Donne de 4 à 6 verres

## INGRÉDIENTS

    4 tasses d'eau
    4 sachets de thé au choix
    1 c. à soupe de miel
    2 tasses de jus de pomme
    Tranches de citron

## PRÉPARATION

Faire bouillir l'eau. Déposer les sachets de thé au fond d'un pichet solide qui résistera au contact de l'eau bouillante. Verser l'eau sur le thé et laisser infuser 5 minutes. Dissoudre le miel dans l'eau maintenant parfumée, puis ajouter le jus de pomme. Refroidir en mettant au réfrigérateur ou en ajoutant des glaçons. Au moment de servir, déposer une tranche de citron dans chaque verre et verser le thé glacé dessus.

## SAVIEZ-VOUS QUE ?

Le thé sous sa forme naturelle est une expérience particulièrement agréable. Pour cette boisson, on peut laisser infuser quelques feuilles sèches de Earl Grey. On n'aura ensuite qu'à filtrer doucement le liquide avant de le boire.

# Index des recettes